商品がなくても売れる

電話を絶対切らせない
スーパーアポ取り術

魔法のセールストーク

Mayumi Yoshino
吉野真由美

ダイヤモンド社

はじめに　商品がないのにどうやって売るの？

「えぇ〜、商品がないのに売るんですかぁ？　まだ、全然できあがってないんでしょう？」

新商品のプロジェクトの発表を前に、社内は騒然となっていました。

魅力的な新商品が開発され、それが世に出るのはとても嬉しいことなのだけれど、できあがるのは、まだまだ半年以上も先……。しかし、会社の方針としては、その「ない商品」を「今から売っていく」というのです。いったい、どういうことなんだろう。

しかも、隣の部の営業マネジャーがこんな発言をしていました。

「新商品に対して興味がある方からお問い合わせが入ったんで、電話で説明してみました。でも……お話ししても世間話ばかりになってしまって……。うまく商品説明ができなくってお申し込みはいただけませんでした」

やはり、ない商品を売るのは無理なのか？？？

困惑したムードがただよう営業部を見回し、私は、これではいけないと察しました。

セールスマネジャーである私こそが、このプロジェクトを愛し、そして、みんなを成功に向けて、リードしていかなければ！

メンバーのやる気を鼓舞し、そして、成功できるようにスキル面を補強し、全員で成果を上げられるようにもっていくのが、私のお役目です。

本当は不安でいっぱいの自分の気持ちに蓋をし、私は笑顔で叫びました。

「何言ってんのよ⁉　ないから売るのよ！　商品がないほうが売れるわ！　電話だけで、販売しましょう！」

啞然として聞いているみんなに対し、私は、10万円の商品（幼児向け英語教材）を電話だけで販売するキャンペーンがいかに魅力的で、自分たちにメリットがあるかを説き始めていました。

「お客様は、何を買うのかしら？　自分と自分の家族の夢に対して、お金を払うの。だから、商品説明も大事だけれど、夢のような未来を語ることが重要よね。

それって電話でもできるんじゃないの？　訪問するなら1日2件くらいだけれど、**電話だったら、もっとたくさんの人とコミュニケーションできるわよ！**」

会わずに電話だけで、5倍売れた！

このプロジェクトの成功を通して、私たちはたくさんのことを学びました。

結果、私たちは商品がないことを逆手にとって、大成功をおさめることができたのです。

最終的には、商品の実物を見せてプレゼンして契約をいただくよりも、5倍の成果を上げることができました。

それが、「**会わずに電話だけで売る**」ことの結果でした。

既存の顧客リストに電話し、10万円の商品を、約1500個販売しました。

このプロジェクトによって、数ヶ月の間に、自分の営業組織だけで1億5000万円の売上を通常の売上にプラスすることができたのでした。各営業、そして私も、気分とお財布がおおいに潤ったのでした。

少しは退職を考えていた人の中にも、この仕事で勢いがつき、「やっぱり私、この仕事大好きです！」と俄然ヤル気になって生き残った人がたくさんいました。

「やはり、仕事をするには、最初から成功する方法を確立し、それをみんなで実行すること！　営業にとって何よりの心のご飯、栄養は、絶対に成功体験を積むことだわ！」

そう、私も意をあらたにしたのでした。

これからみなさんに、こうして私たちが苦労の末に一から作り上げていった、電話だけで売るセールスの成功の方法と秘訣をお教えしたいと思います。

吉野真由美

商品がなくても売れる魔法のセールストーク／目次

2章

いらないものをあえて売る！
成功する購買心理学「秘中の秘」……57

3章 裏技トークと秘密のアポ取りスクリプト……99

4章 まさかのお客様に買わせてしまおう！

1章

会わずに電話だけのほうが売れた!
試行錯誤から大成功へ

私たち営業の使命は、商品やサービスの普及を通してお客様の生活シーンや人生をより素敵に、ハッピーに導くお手伝いをすること。ですから究極、人を幸せにする仕事なんです。でも、そこにたどりつくまでに、いろんな壁がそそり立ちます。相手のニーズを情報収集する、商品の良さを伝える、欲しがっていただく、そして、最後には金額の壁を乗り越えていただく……。手に手をとって、ご契約にこぎつけた時には、10年来の親友のような気分になっていることもありました。

「営業の仕事はコミュニケーション能力が必要」とは、よく言われることです。いったいどんな言葉で、どんな対応をしていけば、売ることができるのか？　そんな疑問を、私たちは電話というコミュニケーションによって多大な成果を上げることで、解くことができました。顔を合わせず、商品そのものを見せることもなく、言葉だけでお客様をリードし、多数の契約を成立させることができたのです。まさに、「売る言葉力」を手にした瞬間でした。

途中、何度もつまずきながらも仮説と検証を繰り返し、心理学を勉強し、ようやくつかんだ「売る言葉力」を、この本を手に取ってくださったみなさんに感謝の気持ちをこめて、つつみかくさずお話ししていきたいと思います。

商品がないのにどうやって売るの？

プロジェクト立ち上げの初日、私は東京で、電話での販売方法を指導していました。

しかし、すでに問題は山積みでした。

商品がないのです。パンフレットしかありません。

サンプルとして1つ、目の前に商品がありますが、それだけです。

誰もまだ、買って使っていません。

誰も、使用後の感想を言ってくれません。

誰もまだ、それで効果を出している、というわけではないのです。

ですから、お客様にお伝えしようにも、自分たち自身、何をどう言っていいのか全然わかりませんでした。

「この商品は、どんな効果が出るのか、証明されてません」

「まだ私たちも使ってないので、いまいち良さがわからないのです。だから、良さを伝えたいのですが、どう伝えたらいいのか、わかりません」

「使っていないので、質問されたら困ります。そう思うと、怖くて電話ができません」

そんな声が組織全体から上がってきました。

う～ん、困ったなぁ。

「じゃぁ、ひとまず私が、電話でお客様にお話ししてみる！」

パンフレットを目の前に置き、私は即興で電話をかけ始めました。

お客様も、電話の向こうで、パンフレットを用意して聞いてくださっています。

とにかく、内容を説明しようと思いました。

「本が○冊です。ＤＶＤは○本です。えっと、それに、××がついてきます。これはお客様のリクエストにより作られた、対話形式のプログラムです。○○で開発された、とても楽しいものです。……」


結果は、惨敗でした。

お客様の、「それって、パンフレットに書いてありますよねぇ」このひと言で終わってしまいました。私がパンフレットの文言を読み上げるしかなかったのが、ばれてしまっていました。

う～～ん、ダメだ！　これじゃぁ。商品の説明や由来を話しても、興味をもってくださらない！　こんなに素敵な教材なのに。

何かもっと良さを伝え、興味をもっていただくためのお話はできないものかしら……。

私は、途方にくれてしまいました。

そうだ！　スクリプトを作ろう

翌朝、私は、また営業指導のために新幹線で大阪に向かっていました。

新幹線の中で、どんなふうに電話でお客様にお話ししたらいいのか、自ら電話スクリプト（台本）を作りながらいくことにしました。

商品がないならないで、できること、それは、これによって、どんな素敵で楽しい未来が訪れるか、それを話すしかない！　そう思いました。

みんなで同じ種類の電話をかけるのです。

それならば、統一したベストなセールストークを開発しよう！　と。

よくある質問と、それに対するうまい返答例を準備すれば、みんなが電話をしやすいのではないか？　そして、それをみんなで共有することで、全体としての仕事の精度が上がるのでは？　と思ったからでした。

限定1万セット。多すぎて誰も買わないのでは？

基本の夢を語るトーク、使った場合の素敵な未来をお話しするトークがひと通りできあがったところで、私はふと、困難の壁にぶちあたり、考え込んでしまいました。

メンバーのB子が、私にこんなことを言ったからです。

「マネジャー……。お客様が、あといくつありますか？　いつまでに申し込んだら間に合いますか？　って質問してきたら、なんて答えたらいいのでしょう」

「限定1万セットです、って答えたら？」

そう素直に言う私に、B子は心配そうに、こう絡んできたのでした。

「あと1万セットあります。キャンペーンは3ヶ月後までやってます、そんなふうに答えたら、誰も申し込まないいんじゃないかしら……」

私も、はたと気づきました。確かにB子の言う通りでした。

人はあおられて買うわけではありませんが、やはり決意を促すには、**あと少ししかない**、もしくは、**限られた人しか手に入れることができない**、そういった感覚が必要です。

これには頭をかかえてしまいました。

つまり、心理学で言うところの「**希少性の価値**」です。

人は誰でも、残りはあとわずか、数が少ない、と聞くことで、より価値を感じ、また、今しかない、と知ることで行動に駆り立てられる、ということが証明されています。これを明確に告げることが、夢を語ることの次に大切なことです。

そのために私たちは、普段は「あと○○セットしかありません！」「お申し込みはいつまでです！」といった言葉を使っていました。

しかし、今回は、なんと限定……といっても、1万セットを用意するのです。

また、お申し込みの期限は3ヶ月後まで……。

「限定1万セットです！」

「期限は3ヶ月後までです！」

そんな言葉を聞いて、今、行動しよう！　今すぐ買おう！　と人は思うかしら……。

いや、

「まだ1万セットもあるんですか」

「3ヶ月考えてもいいんですね」

そういうお返事をいただくことが目に見えています。

いったいどうやったら、「**たった**1万セットしかない！」って思っていただくことができるのかしら……。

私は、帰り道、車を運転しながら考え続けました。

翌日またオフィスで考え込んでいると、B子から電話がありました。

「マネジャー、この際だから、1000セットしかない、って言っちゃったらどうですか？　わからないもの……」

「ダメ、ダメ！　ウソは絶対にダメ！　お客様には真実を伝える、これが私のポリシーなの！　私は本当のことしか言わない主義です！」

とっさに私はそう叫んでいました。

そうなのです。わずかでもウソの情報があると、それを伝える側の声に曇りが出て、お申し込みをいただけません。

お客様にお伝えする情報は、何がなんでも、真実100％でいかなくっちゃ！

そんな私の目に、ふと、友人が経営する会社の「カニ」のパンフレットが飛び込んできました。友人は北海道の出身で、カニをインターネットで販売しているのです。

聞いた話を思い出しました。

タラバガニのヒエラルキー

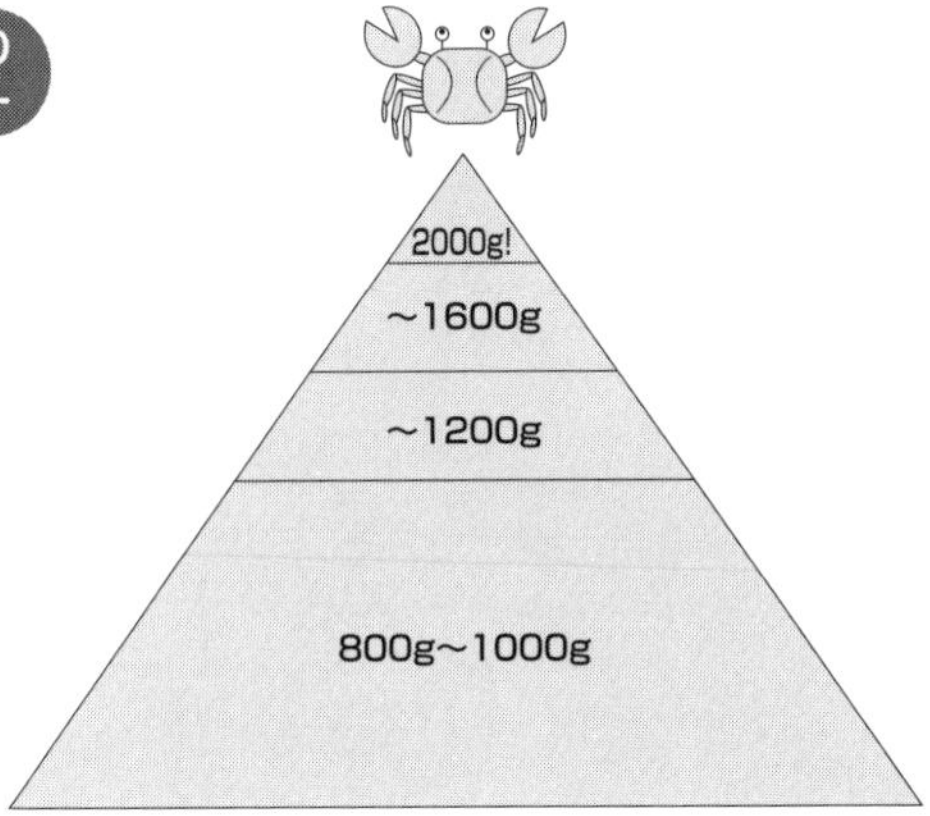

「２０００グラムの巨大なカニ……そう表現しても、お客様にはわからないんだ。２０００グラムもある、ということが、どれほどスゴイことなのか、数が少ないのか、それを伝えることが大事なんだ。

カニとは、次のようなヒエラルキーを形成している。

大多数のカニは１０００グラムくらい。で、２０００グラムになると、１００尾に１尾しかいない。だから、２０００グラムと表示しただけではダメ。**１００尾に１尾しか出会えないんだ**、ってことを伝えて、貴重な、スゴイ、特別なカニだ、ってことを理解してもらうのが大事なんだ」

そうか！

比較する数字が大事なんだ！

その数が全体のうちのどれくらいに当たるのかを明確にすることで、希少性、また価値が伝わるんだ！　ということに気づいたのでした。

1万セットとは、いったい、何に対する1万セットなんだろう……。

「わかった‼」

つい、大きな声を出す私に、目の前で事務をしていたCさんが顔を上げました。

「何か、良いトーク思いついたんですか？」

ニヤリとして聞くCさんに、私は言いました。

「ねぇ、こういうのどぉ？　聞いて！

『今回は、限定1万セットをご用意しています。

ただ、会員様が10万世帯も、いらっしゃるんですね。

10万世帯に対してのご用意が1万セットですから、

実際には、**10人に1人しかご予約できないんです**』

これでお客様は、ただちに予約したくなるかしら？」

いつのまにか、オフィスに拍手が起こっていました。

ようやく、本当に売れるトークの完成です！

メリットと未来像を伝えたその後は、希少性の価値を伝え、確実に決断に導くのです。

これは専門用語で「アンカリング」という手法です。

「アンカー」、つまり「錨《いかり》」を下ろす、という意味です。

ただの数字だけだと、それがどれくらいスゴイのかわかりません。聞いただけでは、たいしたことないように感じてしまうのです。

そこで、標準になる数字や全体の母数をあげ、錨を下ろし、そこからどれほどかけはなれているかを示すことによりその価値を伝える、という手法です。

成功の秘訣は「最初にまず最高の型を作る」

あとから考えてみれば、「最初にまず最高の型を作る」、このことが今回の電話営業、さらに、通常の訪問しての営業活動でも成功をおさめることができた大きな要因でした。

「どんなふうに電話でお話ししたらいいか、私がスクリプト（台本）を作ってみました！ちょっと聞いてみてください！　そして、もっとこうしたほうがいい、っていうところがあったら教えてくださいね」

私は自ら電話の実演をし、みんなに聞いてもらいました。

そして、お客様の視点にたって感想や質問を言い合ったのです。

「10人に1人しかお申し込みができない、この言い方、すごくそそられます！」

「そうでしょ！　でも事実なんですよ。この数字を見てください。会員さんの数と、予約できる人の数は、本当に10対1なのですから」

「あっ！　ホントだ」

「なんで、先に価格を言うんですか？」

「だって、それはお客様の、すごく高いんじゃないか、っていうご心配を取り除くためです」

「じゃぁ、ここはどうして、ご遠慮なく断ってください、って言っているんですか？」

「そりゃぁ、無理に押すべきではないからです。断る権利を明確に示し、あくまで、お客様ご自身に選択していただくのです」

「過去に買った商品の使い方に対する質問をいただいたらどうしましょう？」

「そりゃ、まず、そこから解決しないとね。使い方のポイントを3つにしぼってお伝えし、メモしていただきましょうよ。そして、それができるかどうか聞いてみましょう」

すべてのトークには、意味がありました。

そして、極めて具体的に用意しました。

本当に読めばいいだけのものを作っていきました。

そして、とうとうみんなで「これならいけるかも！」という、気に入った電話スクリプトを完成させることができたのでした。

「私がお客様だったら、これを聞くとつい、欲しくなっちゃいます！」

「これさえあれば、もう怖いものなしですね！」

「どんな質問も、どんとこいです！」

メンバーからは、そんな言葉、そして自然に拍手がわき起こりました。

「でも、これを作っただけではダメよ！　十分、練習してから電話をかけましょうね！」

と私。

メンバー全員が、このスクリプトを納得し、支持していました。

そして、２人一組になり、お客様役と営業役に分かれ、何度も練習をしたのち、いよいよ電話営業を開始したのでした。

「テレソン」でみんないっしょに

「みんなで一斉に電話しましょう！　そして、毎日報告し合うのです。テレソンって言葉をご存知ですか？　テレフォン・マラソン、略して、テレソンって言うの！　誰だって、1人で走るのは嫌よね。だから、みんなでいっしょにやりましょう！」

この提案にみんなは、余裕の笑顔でうなずきました。

だって、完全なスクリプトを用意し、しかも、十分練習までしたのですから。

スクリプトという「型」がある、ということは、営業にとって、とてもハッピーなことです。電話では、それを目で追いながら、時にはページをめくって、じっくり読みながらお話を進めていけばよいのです。

これは、私流の表現で言えば、「すっぱいレモンな仕事」を「レモネードな仕事」にするということ。すっぱいレモンのままでは、誰も食べたがらない（行動したがらない）ものですよね。ならば力のある上司の側が主体性をもち、レモンをしぼって、飲みやすいレモネードを作り、相手（部下）がすすんで飲むようにする（行動に出るようにする）ことが必要なのです。

「よくある質問」や、それに対する「説明トーク」も準備してありました。

これさえあれば、**電話をかける時、気持ちがラク**なのが特徴でした。

気がラクだったら、量をこなせます！

量をこなせるから、成果だって思いっきり上げられるのです！

【スクリプトの意義】ドツボへのスパイラル&成功への道

すっぱいレモンな仕事	レモネードな仕事
自分で考えて一生懸命電話する	完璧なスクリプトをもとに電話する
なんて言ったらいいのか、 よくわからない。	なんて言ったらいいのか、 はっきりわかっている。練習もした。
それでもがんばって、 とにかく気合で電話する。	自信と、余裕、笑顔で電話をかける。
お客様からつっこまれる。 質問、ネガティブな発言が出る。	お客様から何を言われても平気。 待ってましたとばかりに、きびきび対応。
がんばって答えるが、うまくいかない。 **=失敗体験**	明確に返答でき、信用を得る。 お申し込みも取れる　**=成功体験**
次に電話する時、何を言われるか、 ドキドキする。勇気がいる。	次の電話をかけるにも笑顔と自信、余裕。
頭を使う。	頭を使わない。
考えながらかけるので 電話をかける手が止まる。量をこなせない。	結果が出るのが楽しいし、 頭を使わないので、量をこなせる。
結果が出ない。	たくさん結果を出せる。
マネジャーに、指摘される。 「もっとがんばりましょうよ！」	マネジャーにほめられる。 「すごいね！　さすがですね！」
「お客様がみんな留守で、電話がつながら なかった」とウソの言い訳をする。 自分で自分に嫌気がさす。	うまくいったノウハウを、みんなで共有。 感謝される。
次から、電話をかける気がしない。 そのムードが蔓延。	みんなで成功するノウハウをもとに、 励まし合い、楽しく電話できる。
みんな、次第に電話をかけなくなる。 **→ 量の低下**	みんな、どんどん電話をかける。 **→ 量の増加**
結果が出ない。みんな苦痛。 マネジャーは陰鬱。	結果が出る。みんなうれしい。 マネジャーもハッピー！
他の仕事で忙しいふりをし、 ますます電話しない。	積極的に時間を工面して、たくさん電話。
周りも同じなので、安心する。 マネジャーいらいら。	良い波動、影響が周囲にも蔓延し、 みんなでがんばる！
２度とやりたくない。 今度その企画が出たら、ぶちこわしてやる。	次回も積極的にみんなで取り組みたい！ 役に立てることがうれしい！

お申し込み率100％!?

「じゃぁ、マネジャー、今からさっそく電話をかけてみます！　どんなだったか、また報告しますね！」

そういうメンバーを大阪のオフィスに残し、私は急いで夕方の新幹線に乗り込みました。東京で夜の会合があったのです。

普段から新幹線で行ったり来たりしている私にとって、大阪、広島、名古屋は完全に日帰り圏内です。新幹線の中もまた、本からの新しい情報収集や、セールストークを開発する場でした。

「……みんな、あれからどうなったかなぁ。練習通りうまく電話かけられたかしら？　お客様からYESはもらえたかなぁ……？」

私の一抹の不安を乗せて、新幹線は東京に近づいていきました。

品川に着いたとたん、携帯に着信がありました。

「あっ！　大阪のA子さんだ！」

私は改札を抜けながら、急いでメンバーに折り返しの電話をしました。

「A子さん、今、連絡くれたわよねぇ！　どうだった？　電話かけてみた？　うまくいった？」

スクリプトは完全を期していたつもりですが、結果を聞くまではドキドキです。

すると……。

「マネジャー、すごいです！　このスクリプト！　今、なんと、8名の方ときちんとお話ができて、8名ともお申し込みをいただけました！」

「えぇ？？？　100％じゃない！　すっご〜い‼　話せた方、全員がお申し込みになったんだぁ。どんなふうにやったの？　教えて⁉」

「練習した通りですよ！　あのスクリプトを前に置き、目で追いながら落ち着いてかけることができました。完全にきちんとお話しすることができました！　そしたら、じゃぁ、お願いします、って無理なくお申し込みいただけたんです！」

新大阪から東京までは、新幹線で2時間40分です。

A子はその時間内で、電話で8名の方からお申し込みをいただくことができたのでした。新幹線が大阪を出て東京に着く、その2時間40分の間に、電話だけで80万円の売上です。

1名のお申し込みにかかった時間は、約15分ということになります。

これは画期的です！

もし、1件1件訪問していたら、こうはいかなかったでしょう！

私たちは、1名のお客様と電話で話す時間を、約13分と決めていました。それを超える時間は、お互いにとっての負担になるからです。

「1回きりの13分の電話で、10万円の商品を、個人の方にお申し込みいただく」

信じられないようなことができてしまったのです！

公開！　5倍売った脅威のセールストーク

私たちは、お客様の心理をおしはかり、いかに気持ちよく、安心して私たちの話を聞いていただけるか、苦心しました。

また、その電話で、口頭でお申し込みの意思を確認するところまでもっていかなければならないのです。そのためには、ポイントは2つでした。

商品説明をくどくどするのではなく、**メリットや購入後の未来像、充実した生活シーンを語る**ことにしました。

そして、もう1つは、「**今この電話で申し込まなければ、チャンスをのがすかもしれない！**」そんなお気持ちになっていただけるように、希少性や、限定の度合いを示す言葉を積極的に言いました。

13分の電話の構成はこうでした。解説入りでご紹介してみましょう。

ポイント❶ 2秒で、まず謝る！

「お忙しいところすみません！」

開口一番に、まず、2秒で謝る。

これを徹底してきました。

お客様は、普段、私たちの電話を待っているわけではありません。

どちらかと言うと、「忙しいのに、なんでこんな時間に電話をかけてきたのよ～」という怒りの気持ちで電話に出られます。

だから、先に謝ってしまうのです。

人というのは不思議なもので、思いっきり謝っている人を、それ以上たたけないものなのです。

「朝から、すいません！」「お昼時にすいません！」

これらの言葉ひとつで、「なんでこんな時間に！」というお客様の怒りや不信をかわし、聞く耳をもっていただくことができます。

また、こちらが、配慮のある人間であることをにおわせることになるのです。

悪い人じゃなさそうだわね……、といった具合に。

まず、最初に2秒で謝る、これで一気に相手の懐に入ります。

ポイント❷　8秒で用件を伝える！

そして、名乗ったあとにすべきこと、それは、**この電話がいったい何の用件でかけられているのかを明確に示すこと**でした。

お客様は、何の用だかわからなければ、怖くなってしまいます。心の中では、

「何？　何？　この電話！　誰？　誰？　この人！　私に何の用事なの？」

って、ドキドキしながら聞いています。

不信になれば、「今は忙しい」とその電話を切ってしまうかもしれません。まず、**8秒で用件を伝えて、安心していただく**、これが最初にすべきことでした。

「パンフレットだけでは、どんなものか、わかりづらいと思いまして、説明のお電話をさせていただきました」

これで、45文字です。

日本語は普通にしゃべると、なんと1秒間で6文字話せる、と言われています。

これくらいで、ちょうど8秒以内に伝えることができる内容なのです。

「説明の電話なのだ、あくまで、説明の……」

ここには、契約や販売、アポ、申し込み、そういった文言は一切出てきません。

「説明だけであれば……」

そんなお気持ちで、続きの話を聞いていただくことができたのでした。

ポイント❸　ご契約はできません！

契約というものは、商品があって、それを注文することです。**商品がなければ、予約するしかない**のです。

商品がまだない、ということを逆手にとって、「契約はできない」と言ってみました。

「契約はまだできない」

お客様にとって、これ以上の安心材料はあったでしょうか？

実際には、予約というＹＥＳをいただくわけですが、このひと言で見違えるほどうちとけて、電話で話をつなぐことができたのでした。

「新商品は、まだ、ご契約はできないんですよ！
ご予約することしかできないんです！」

ポイント❹　商品説明はしない！　メリットを語る！

売れない営業にはある共通点があります。それは、**商品説明に終始する**、ということなんです。それって、頭を使いませんし、ストレスもなく、ラクなんですね。

でも、商品の内容はパンフレットにも書いてあることなんです。

私たちが語らなければならないのは、**パンフレットが語れないこと！**

その商品のメリット、そして、期待できる効果、未来像なのではないでしょうか。

「アメリカのスクールに行って、アメリカの子供たちといっしょに学んでいるような体験ができます」

「初めての、本格的な対話形式のプログラムなんです」

「ゲーム感覚で、お子様だけでも夢中になって遊べます。ママがいっしょについていなくても、できるんです」

「クッキングや、アート、そして理科の実験も！」

メリットって、何なんでしょうか？

「この商品は、あなたに～～なことをしてあげられますよ、こんなすばらしい体験、未来を提供しますよ」ってことなのではないでしょうか？

お客様は、商品を手に入れる、というよりも、自分に訪れる素敵な将来、楽しい生活を手に入れたくて商品に興味をもたれます。

ですから、語るべきはあくまで、**夢のある未来像、楽しい将来**だったのです。

これは、どれくらいの時間、語るのか、ですって？

それは、**相手の口から「あ〜、なるほど」「……はい」など、ため息まじりの欲しい反応が出てくるまで**、です。反応があらわれ始めたら、即、次に！

ポイント❺ 具体的なお支払い方法、金額

欲しくなると、次に気になるのは、金額です。

相手から聞かれるより前に、こちらから提示することで、より安心感をもっていただけるでしょう。**正々堂々とした印象**も残ります。

価格を言う場合、いきなり総額を言うと、それまでの良い雰囲気がだいなしです。

誰だって、お金のことを言われると、冷めるものです。

抵抗感なく価格提示をさせていただく、良い言葉をもっておく必要があります。

そのためには、分割での価格をまず提示するのが一般的です。
元着物のトップセールスマンは、こんなふうに言う、と教えてくれました。

「普段は一括をお使いでしょうが、
月々だと、○○○○円になりますよ」

最初から、月々の金額のみを言うと、相手のお財布を低く見たことになり、失礼です。「うちは一括でしか買わないのよ！　全部でいくらなのよ！」なんて、言われてしまったりします。「普段は一括をお使いでしょうが……」と言って、月々の金額を語る。これが良い方法です！

ポイント❻　素敵なご連絡！

人の心は不思議です。
「払えそうにないかも……」そんな思惑は、欲しがる心にストップをかけます。
逆に、**「払えるかも！」と思うと、急にタガがはずれたように、一気に欲しくな**

ってしまうのもまた、人の特徴なのです。
先ほど聞いた月々のお支払い金額で、急上昇で欲しくなってしまったお客様の心を、**「特典」で、どんどん後押し**してあげましょう！

「今回の新商品のご予約をされた方には、無料で○○をプレゼントする、というキャンペーンをやっているんですっ！」


このようなことを言うのを、あざとい、わざとらしい、「もので釣ってる感じが嫌」という営業がいます。深く考えすぎるのは、やめましょう。

だって、これらは、**相手にとってメリットのある「情報」だから**、です。

もし、この情報をお客様がご存知なかったら損をしてしまう、情報なのです。

「相手にとってのメリットのある情報を、私こそが今、お伝えしなければ！」

そんな使命感をもって、明るく堂々と伝えましょう。

ポイント❼　ご予約だけでも！

かなりワクワク感が高まり、欲しい気持ちが盛り上がってきたところで、1回目の一声といきましょう。

「ご予約だけでも、されておくことをお勧めいたします!!」

そう言っただけで「ではお願いします」というお客様もいなくはないですが、そうは問屋がおろさないものです。

「では、ちょっと検討させてください」

これが普通でしょう。

この言葉を待って、次のステップです。

検討　＝　デメリットである
時間をかける　＝　チャンスをのがす

それをよーくわかっていただくために、次は、希少性の提示です。

ポイント❽　すでにご予約済み！

「検討させてください」

このようにおっしゃる方は慎重な方なので、**この言葉をまずしっかり受けとめてあげる**必要があります。

「わかりました」

こちらがそう言えば、まるで引き下がったかのように見えます。お客様はほっとひと安心してくださいます。ある意味、ちょっと油断されるかもしれません。

そこに向かって、**情報の1つとして希少性をきちんとお伝えしていく**のです。

「会員さんは10万世帯いらっしゃるのですが、
実は、1万セット**しか**ご予約の準備がないのです」（事実）
「限定1万セットをご用意しておりましたが、
すでに○○セットがご予約済みとなりました」（事実）
（ですから、○○様には大急ぎでお電話を差し上げました。）

事実とかけはなれたウソは絶対に言うべきではありません。しかし、事実に立脚した限定条件がどこかに見つかるはずです。それをきちんと言葉にしましょう。

人には、商品の情報を得た時、「自分だけがそれを買おうとしているのではないか？」という恐れがあります。

また、**みんなが買っているもの＝良いもの**、という思い込みがあります。

心理学の言葉では、これを「社会性の証明」と言います。

「みんなも買おうとしている。みんなが予約している」

これ以上の安心材料はありません。だから、しっかり伝えます。そして、

「人が手に入れて、自分は手に入れられないかも！」

この競争心が加わることで、気持ちはさらに強くなるのです。

ポイント❾　遠慮なく断ってください！

すっごく欲しいと思っているのに、逆に、**「断ってもいいですよ」**と言うと、相手はどう思うでしょうか？

お客様は、営業が押せ押せでくることを想定しています。

が、その部分で意表をつくのです。

「えっ？　この人、押してこないの？」ということは、**私が買わなくても、ほかにいっぱい買う人がいるのね？**」というふうにとらえる人もいます。

それイコール、**みんなが買うなら私も欲しい、今、私が買わなきゃ、なくなっちゃう、**という気持ちも生みます。

このへんの心理は、恋愛と同じです。

相手がすがってくると、逃げ出したくなる、でも、相手がきびすをかえして去ろうとすると、追いかけたくなる。この恋愛心理を営業にも応用するのです。

「いいな、と思わなければ、どうぞ遠慮なくお断りください！」

また、**クーリングオフや、キャンセルの権利があることも明確に伝えます。**

そもそも人というものは、想像していたのと違う状況におちいった時には、不慣れなものですから、頭がシンプルにしか働かなくなり、状況判断が難しくなります。

営業とは、「勧める」「押す」ことが仕事のように感じていたのに、今日はまたいったいどうしたことでしょう⁉　と、多少なりともお客様は驚くのです。

また、自社商品を、「断ってください」と言うことで、「あなたが買わなくてもほかにお客様はいっぱいいる」ということをほのめかすことになり、それが結果、**会社や商品への自信のあらわれ**、とみなされるのです。

買わなくていい、そう言われれば、もっと欲しくなる。これ営業の鉄則です！

ポイント⑩　2回目の「ご予約だけでも！」

多くの場合、ご決断いただける時は、ここです。

「早い者勝ちではないんですが、
結構、あっという間に、予約でいっぱいになってしまいそうなんですね……。
絶対に始めないっていう方が、ご予約されては困るんですが、
将来的に、ちょっとでもご検討でしたら、
ぜひ、ご予約だけでもされておいて、かまいませんよ」

これを話せば、「じゃぁ、せっかくなので」と、お申し込みの意思表示をいただくことができるのです。

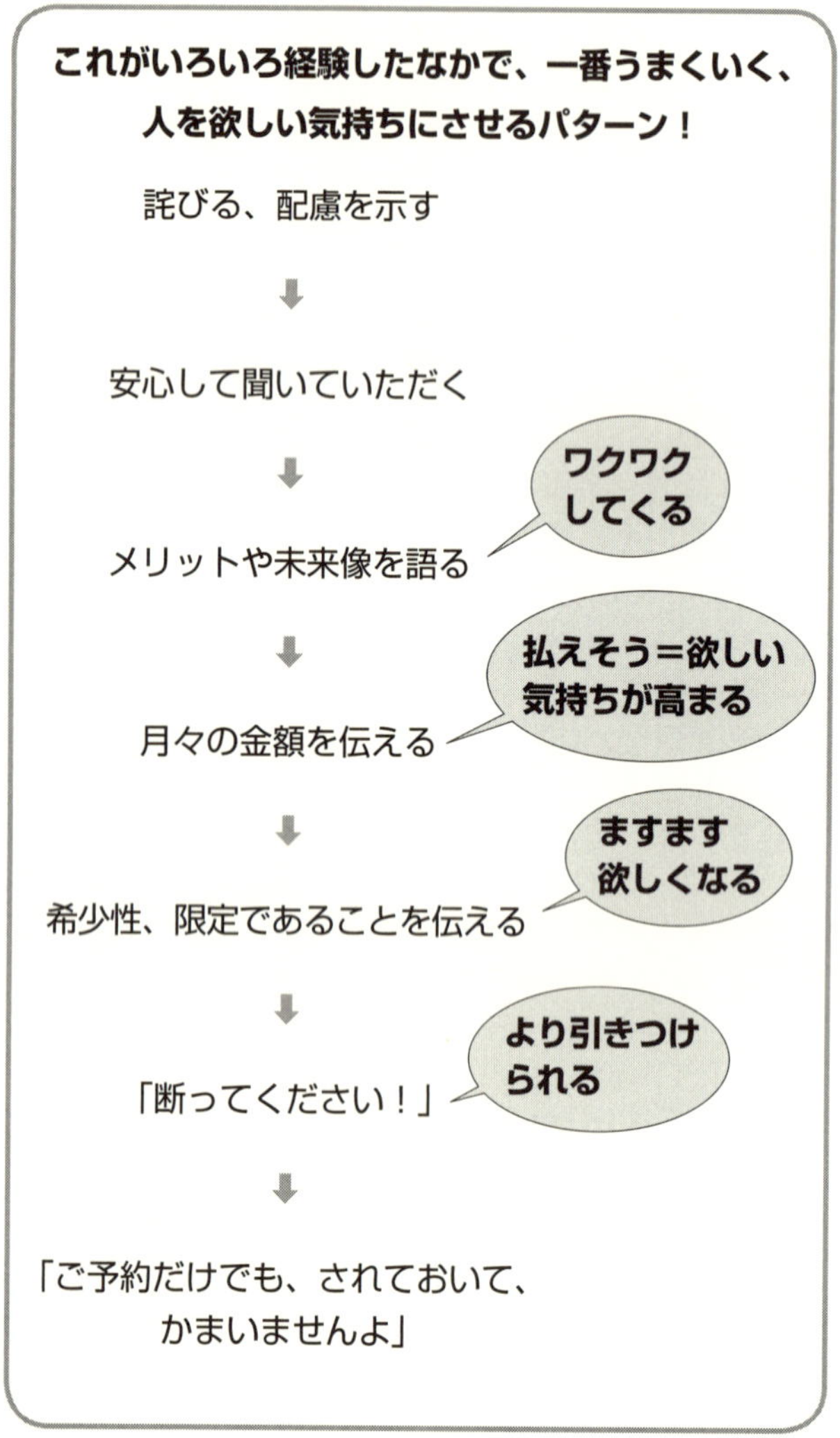
これがいろいろ経験したなかで、一番うまくいく、
人を欲しい気持ちにさせるパターン！
詫びる、配慮を示す
安心して聞いていただく
メリットや未来像を語る
ワクワクしてくる
月々の金額を伝える
払えそう＝欲しい気持ちが高まる
希少性、限定であることを伝える
ますます欲しくなる
「断ってください！」
より引きつけられる
「ご予約だけでも、されておいて、
かまいませんよ」

さらにトークの精度を上げるもうひとワザ！

こうして、私たちはいきなり好スタートを切ることができたのでした。

私は毎日、毎日、メンバーからの成果、そして、現場の状況報告をもらいました。

誰かから、「こう言ったら、うまくいった！」という報告をもらうと、私はすぐにそれをメンバー全員にお知らせし、みんなで共有する、ということを続けました。

どんどん、みんなのトークスキルが上がっていきました。

1人の営業が1時間電話をすると、4人の方とまともにお話ができ、ほぼ1件のお申し込みがいただける、という状態になっていきました。

もう、こうなれば、あとは時間管理の勝負でした。

全員、電話をする時間を確保する。そして確実に毎日かける……。

毎日、営業部では10万円の商品が20個、30個と売れていきました。

私は、営業の名前、リストの数、それに対するお申し込みの数、そして、クローズ率といった成果を、毎日、全員に発表し、さらに勢いに乗せました。

意外にも、普段はトップセールスでない人や、はたまた新人なども非常に高い成果を上げ、驚かせてくれました。

その人たちをさらに盛り上げ、元気づけるために、ミーティングではみんなの前で成功体験をスピーチしてもらうようにしました。

「とにかく、今日、明日じゅうに予約でいっぱいになってしまうかも、と限定だという感じをしっかり伝えることです」と、E子。

「相手に断るチャンスも与えながら、あきらめずに、お話しし続けることです」と、F美も負けてはいません。

「電話をかける時間帯は、朝10時半がいいです。家庭内の仕事が一段落し、ほっとしている時間だから」。G子からは、そんな意見も出ました。

みんながスターダムにのし上がる、またとないチャンスとなりました。

「プロジェクトが変われば、別の人がヒーローになる！」

私は、そんな教訓も得ることができました。

結局、数ヶ月間で、約1万件のリストに対し、約1500個の販売実績を上げることができました。クローズ率はほぼ15％です。

これは、目標としていたクローズ率10％を大きく上回る成果でした。

社内の会議で、私たちは役員から表彰され、両手にかかえきれないほど花束をもって笑顔で撮影した写真が、今でも私のパソコンの中で輝いています。

よくある質問

みんな同じトークで本当にいいの？

Q

最初に最高の型を作ってから始める、っていうのは、本当にいいことなんでしょうか？
人にはそれぞれのやり方ってものがありますよね。みんなで同じトーク、同じ型をマスターするなんて、僕には理解できません。人間はロボットじゃないんです。個性や、その人らしさ、っていうのは、どうなんでしょうか？

A

営業のトレーニングには、大きく分けて2つあると思います。

1つ目。

「まず、本人にやらせてみる。最高のやり方は、その中で、本人がつかむもの」という考え方です。だいたいにおいて、このような組織では、ほとんど練習などなしに新人の営業を現場に行かせます。

「人それぞれのやり方がある。体を使って自分が覚えたものだけが、本物。自分に合ったやり方は、自分でつかむんだ」という言葉が飛び交います。

もう1つは、最初に最高の型を上司やリーダーが主体となって作り上げます。そして、この型通りに繰り返すなり、もしくは暗記するなりします。モノマネでもいいから、その最高の型を反復することによって、体にたたき込みます。

恐ろしく回数をこなし、無意識のうちにそれができるようになるまで現場には行かせません。とことん練習し、型を自らの体でほぼ再現できるようになって初めて、現場に行かせます。

従来、営業の世界では、前者のやり方を多く取り入れてきました。

その結果、どうなったでしょうか。

自分のやり方を自分で見つけ、成功していった人もたくさんいました。が、それは一部の、もともとある程度、その才覚があった人たちでした。

そのような天才型の人たちの裏で、たくさんの普通の人たちが、「自分に合った最高のやり方」というのを見つけられないまま、消えていきました。

売れない、という失敗体験も積み重なり、ヤル気が低下する、ということも避けられません。

実際、失敗の中から自ら学んでいくためには、最初に膨大な量の失敗が必要です。

最近、企業においては、莫大な費用をかけて見込み客開拓をしています。

ですから、スキルの低い新人の営業がそんな貴重なお客様に対応し、成約に至らないというケースが増えると、企業にとっては非常に大きな損失となります。

貴重な見込み客を、高い確率でご成約にお導きしたい、と考えるのであれば、新人からベテランまでが一様に、高いレベルのプレゼンをおこなう必要があるのです。

従来型の、自分で自分のやり方を見つける、という営業トレーニングの手法は、見込み客の開拓までもが営業自身にゆだねられていた、訪問販売の初期の時代の産物と思われます。

営業が見つけてきた見込み客を、その営業がつぶそうとも、企業の側からすれば損失ではなかった時代です。

見込み客開拓と、さらに成約という成果に対する責任が企業の側にある場合、企業や上司が主体性をもってメスを入れ、営業のプレゼンの質にこだわる必要があると考えます。

スポーツの世界にあてはめてみるとよくわかります。

たとえば、ゴルフを習い始める場合、どうでしょうか？

ゴルフのレッスンプロは、「とにかく自分でまず、どんどん打ってごらん。自分で打ちながら、自分に合った形を作っていけばいいよ」と言うでしょうか？

逆ですよね。

レッスンプロは、まず自分自身が最高のプレイができる人であり、最高のプレイを見せます。そして、本人にも数限りなくやってもらい、言葉を使って指導します。

何度も何度も体で覚えさせ、そして、最高の型に近づけようとします。

最高の型に近ければ近いほど、ボールはラクな力で良い方向に大きく飛びます。最初に最高の型をマスターすることから入った新人は幸せです。

その型をベースに、練習を繰り返し、無意識のうちに最高のプレイができるようになってから、ゴルフコースに出るのです。

そうすると、最初からある程度うまくいくでしょう。

そして、ますますゴルフが面白く、好きになり、続ける気持ちも出てきます。

練習をスタートしたての頃は、数多く失敗するでしょうし、上達までには時間がかかります。それでも、やはり、最初から最高の型のプレイを身につけた人のほうが伸びもよく、最終的に到達するところも高いレベルでしょうね。

能や、歌舞伎など、伝統芸能の世界も同じです。最初に型があり、それを徹底的に仕込まれます。

それを習得し、無意識のうちにできるようになって初めての、個性やその人らしさ、です。まさに、「守、破、離」の世界です。

守ることなく、破る、離れる、はないのです。

個性というものは、徹底的に型を追求した結果、それでも出てきた「誤差」を言うのです。どんなに型にはめても、人というのは絶対にその人らしさを失いません。

型を追求しすぎて、個性がなくなりロボット化する、などという例はないのです。

最初から、その人らしさを追求して、それでうまくいく人もいるかもしれませんが、それは、ほんの一部の天才だけです。

天才に的をしぼって指導するわけにには、いきません。

そこで、電話するなら、スクリプト（台本）を作ったり、最高に売れている営業のプレゼンを録画、録音して、モノマネでもいいから無意識のうちにそれができるまで徹底的に練習を続ける、という考えが生まれたのです。

現在でも、成功している営業組織を客観的に見させていただくと、ほぼすべてのところで、上司の側が主体性をもって最高の型を作り、それをベースに指導しています。逆に、「人にはそれぞれのやり方があるから、本人にまずやらせてみて、本人につかませる」というのは、上司の側の怠慢だ、とすら感じるのです。

何を隠そう、この私もそんなことを言っていた時代があったからです。

マネジャーになった直後の、右も左もわからない時のことでした。教材販売の経験がある、プロっぽい男性が私の組織に入ってきました。

正直、私は、その男性をどう指導していいのか皆目わかりませんでした。で、こう言ったんです。

「あなたにまかせます。あなたには、あなたらしい、うまくいくやり方があるでしょう。ですから、私は何も言いません。まず、自分でいいと思う通りにやってみてください。そして体で覚えましょう」と。

それは、本当に私の怠慢だったのです。

そして、どうなったでしょうか。

その人は玉砕しまくり、しばらくはかじりついてがんばってくれたものの、4ヶ月後にはやめていました。

今でも心残りです。

彼にも私が、最初にきちんと最高の型を教えてあげていたら、きっと成功していたでしょう。

電話スクリプト（台本）を作る、売れている営業のプレゼンを録音、録画して、みんなに配っていっしょに練習する、というやり方にたどりついたのには、このような背景があったのです。

なぜ商品を見せたら売れなかったのか？

この出来事は、長年、「会って、見せて、売る」ということを実行してきた私たちに、大きな感動、そして、ショックを与えました。

普通はこんなふうに考えます。

「アポを取らなければ、会えないんだ」

「会えなければ、見せられない」

「見せなければ、売れないんだ」

営業というものがこの世に誕生して以来、私たちはずっとそう考え、実行してきたに違いありません。

この固定観念を大きく覆す出来事だったのです。

そして、もっと私たちを驚かせたのは、このことだけではありませんでした。

その翌年の出来事でした。

初年度には「まだできていなかった商品」が、翌年には「すでにできあがって存在していた」のです。

私たちは、話し合いました。

「去年は、ない商品を電話だけで売るなんて、ずいぶん手荒なまねをしたもんです。ちょっと反省しています。今年はもっと丁寧な売り方をしましょう！　やはり、アポを取って、お客様にお会いし、商品をお見せして説明し、そしてご決断いただきましょう！」

ところが、これが命取りになりました。

結果から申し上げると、電話だけで売った初年度の、なんと5分の1しか売ることができなかったのです。リストの数に対して、3％しか売れなかった、という脅威の結果を出

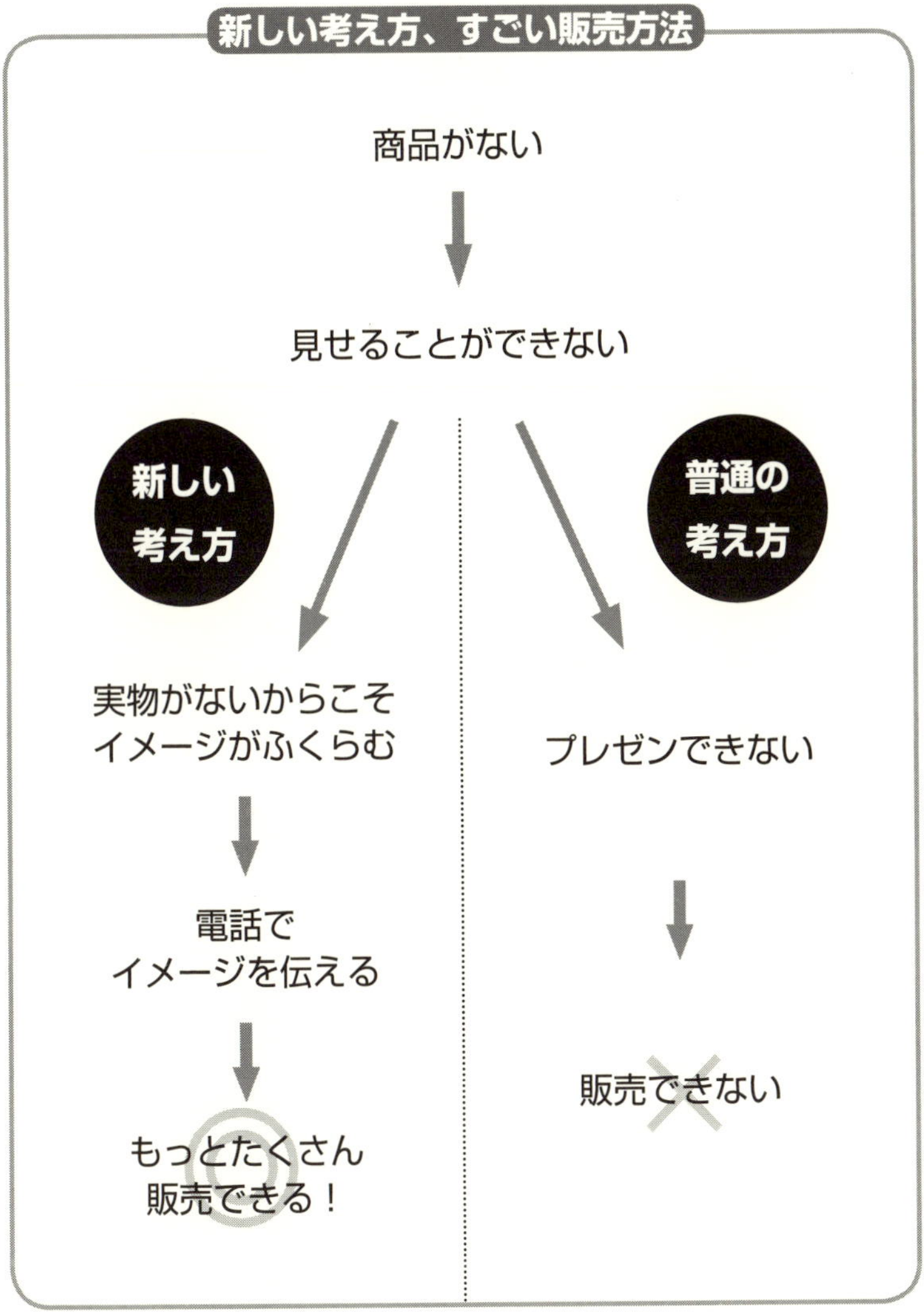
新しい考え方、すごい販売方法
商品がない
見せることができない
新しい考え方
普通の考え方
実物がないからこそイメージがふくらむ
電話でイメージを伝える
もっとたくさん販売できる！
プレゼンできない
販売できない

してしまったのでした。

理由は、簡単に言えばこうでした。

アポを取って、行くには行っても、実物をお見せし、簡単に使っていただいたところ、**逆に現実的になってしまい、売れない、**ということが起こってしまったのでした。

電話だけでお話しし、商品を見せなければ、クローズ率15％

会って、商品を見せて売ろうとしたところ、クローズ率３％

その違いは、なんと5倍！

なんていうことが起こってしまったのでしょう！

過去の成功例、従来型のやり方にメスを入れ、一新すべき時が来たのかもしれない！

この出来事は、私たち営業サイドに、とてつもなく大きな波紋を投げかけました。

2章

いらないものをあえて売る！
成功する購買心理学「秘中の秘」

さて、なぜ、このように電話営業で成功することができたのでしょうか？

それは、お客様の心理を最重要視し、それに基づいて、こちらが行動を起こし、言葉を組み立てていったことが一番の理由だと思います。

今も昔も、ビジネスの世界で成功する人とは、人の心の動きが読める人だと言います。

お客様は、何に心が動き、積極的に予約し、購入する、という行動に出たのでしょうか？

どういう心理だったのでしょうか？

私はかねてから、20年近く、人がモノを「欲しくなる心理」について考えてきました。その結果、自ら開発した「購買心理学」が、このプロジェクトをささえていました。

売れない営業の特徴

普段から、メンバーに同行して、私はあることに気づいていました。

売れない営業のプレゼンにはある一定のパターンがある、ということに。

それは、「延々と、商品説明をする」ということでした。

「あれがいい、これがいい」とさんざん説明して、お客様を疲れさせます。

自分は慣れているせいか、少し早口だったりもします。しかも、専門的な話で、わかりづらかったりもします。

お客様も嫌な顔をするわけではなく、我慢して、時にはあくびをかみ殺しながら、聞いてくださってはいます。が、それ自体、決して、契約という良いご決断にお導きするわけではない、ということを肌で感じていました。

下手をすると、こんなふうに言われて帰ってくるのでした。

「とても良い商品だっていうのは、よ～くわかりました。それでは少し考えさせてくださ い」

そして、こんなこともおっしゃいます。

「よ～く検討して、それが本当に必要と思ったら、お申し込みします」

言葉にすると、ごもっともです。

こう言われると、私たちは引き下がるしかありません。

そして、最終的にはこんな答えが返ってくるのでした。

「家族でよくよく検討してみたのですが、今回はやはり見送ります。必要になった時には、こちらからご連絡いたします」

必死に商品説明をし、徹底的に良さを伝えたあげくに、このようなお断りをいただくのですから、営業もたまったものではありません。

このパターンは、私が、何がなんでも避けたいものでした。


では、どうしたらモノが売れるのか?

人はいったい、どうしたらもっと欲しがってくれるか?

どういう気分になった時に、モノが欲しくなり、そして、いてもたってもいられず、お申し込み、ご契約、というご決断をなさるのか!?


このテーマを徹底解明したのが、本章の真由美流「購買心理学」です。

「購買心理学」は、これまでお話ししてきた電話セールスにも応用できますが、もともとは一般的な、訪問しての営業スタイルを数多く経験することによって生み出された考え方でした。企業の中で営業のマネジャーをしている間、私はこれを「秘中の秘」として指導してきました。

この本を手にとってくださった多くの方に、感謝の意を込めてオープンにしていきたいと思います！

人はモノを買うのではない！「購買心理学」の秘密

人は本当は何を買うのか？

「人はモノを買うのではない」と聞いて、「わかった！」という人がいるかもしれません。

「人は、満足を買うんでしょ⁉」って。

そんな言葉もありましたね。

当たっているようだけど、ちょっと違います。

買った瞬間は、その商品の効用によって満足を得ているわけではないからです。

満足は、使っているうちなど、後からやってくるものです。

保険の契約をして、そのことに対して満足する瞬間とは、本当に万一のことがあった時、です。

ということはやはり、満足と引き換えにその場で契約する、お金を払うのではないですね。


人が、契約書を書く瞬間、お財布からお金を出して、クレジットカードを出して何かを買う瞬間、いったい何を考えているのでしょうか？　どんな心理なのでしょうか。

どんな心理になったら、「よし！　これを買おう！」と決意するのでしょうか？

よく、「ニーズに向かってお話ししろ」とは言いますね。これはどうでしょうか？

ニーズとは、必要性、という意味です。

人は、必要だから買うのでしょうか？

必要だと知った時、お金を出すのでしょうか？

この考え方は、人の買い物とはかけはなれているかもしれません。

なぜなら、この世に、本当にそんなに「必要なもの」というのは、それほど多くは存在しないからです。

必要、というのは、なくてはならないもの、という意味です。

究極、それがなければ命にかかわる、生存をおびやかす、ということです。

具体的に、なくてはならないもの、とは、最低限の衣食住をまかなうものということになります。つまりは、「それがなければ、死ぬ」ということです。

今、人がモノを買う場合、そんなことを考えてはいません。

時々、こういう人がいます。

「よくよく考えて、本当にそれが必要だと思ったら、買います」

で、こういう人は、結果的に絶対に買いません。

なぜなら、よくよく考えれば、どうしてもそれが必要だ、それがなければ死ぬ、というモノなど、この世にはないからです。

この世はいらないものだらけ！

この世は、言ってみれば、いらないものだらけなんです。

もっと言えば、「なくても死なないもの」ばかり、なんです。

その「なくても死なないもの」を、人は、たくさんたくさん購入しながら生きているのです。

例をあげれば、きりがありません。

部屋に素敵な絵があれば、最高のくつろぎを演出してくれるでしょう。

また、出かける時に、美しい着物を身にまとえば、注目度がまったく違います。でも、これらがなくても、命に別状はない、というわけです。

教育もそうです。あったほうがいいけど、なくても生きてはいけます。

では、そういったものは、人生において不必要なのでしょうか。そのように考えるようでは、味気ない。殺風景にもほどがあります。

逆に言えば、なくても死なないものこそが、人間の文化の基本です。心の豊かさを演出してくれるものでもあるのです。これらにお金を出して手に入れてこそ、人生そのものの質の向上になるのですね。

必要か、必要でないか……人は、それとはちょっと違う観点で、モノを買う、買わないを判断しているということがわかってきました。

あらためて、ここで、なぜ、人がモノを買うのか考えてみましょう。

なんで、人はモノを買うのでしょうか?

営業や販売に携わる人は、この、人がモノを買う心理を深く理解し、行動していく必要があります。

では、ここから人がモノを買う心理、「購買心理学」を紐解いてみたいと思います。

人がモノを買う心理はただ2つ！

人がモノを買う場合、どんな場合も、この２つの心理に基づいています。

この２つの心理のうちのどちらか、もしくは２つが密接にからみ合って決断させているのです。

その２つの心理とは……。

❶本心から得たい未来像があって、それをなんとしても手に入れたいと心から願い、そのための手段が、あるモノを購入することだと知った時。

❷問題をかかえていて、それをなんとしても解決したいと心から願い、その手段が、あるモノを購入することだと知った時。

たとえば、どんなものがあるでしょうか？

購買心理❶ 得たい未来像

なぜ、車が欲しくなるのか?

車はどうでしょうか?

5月のGWを過ぎて、空が青く晴れ渡り、気候がぐんとよくなってくると、車のディーラーを訪れる人が急に増えるそうです。ディーラーに向かう人の心の中は、どうなっているのでしょうか。

「気候がよくなって、気持ちいいシーズンになってきた! あ〜、こんな季節は彼女と海でデートしたいなぁ〜!」

海に向かうには車がいります。車の中で、2人っきりで愛をささやくこともできるでしょうし、好きな音楽を聴きながらドライブすれば、ストレス解消にもなるでしょう。

家族のいる人ならどうでしょうか?

「おぉ〜、まもなく夏がやってくる! 子供たちを山にキャンプに連れていってあげたいなぁ〜。川辺でバーベキューをすれば楽しいだろうし、虫とりもできる。親子の思い出をたくさん作るには最適だ。あ〜、ワゴン車があればいいなぁ。帰りは疲れた子供たちも、後ろでゆっくりできるだろう。たまには両親を乗せて、墓参りなんかも。ワゴン車があれば、親孝行ができる……」

また、カッコいいスポーツカータイプを好む人もいますね。

もちろんメカとしての車、そのものが好き、という人もいるでしょうが、カッコいい車に乗っている自分、スポーツカーをもっているナイスな自分、モテる自分、というのを手に入れたい、という心理があるのも無視できません。

ここでまず見えてくることがあります。

人は、モノそのものを手に入れたいのではなく、そのモノがもたらす素敵な未来像、頭に描く将来像や楽しい生活を手に入れたくて、そのモノに興味を示し、欲しくなる、ということなのです。

なぜ、英語教材が欲しくなるのか？

私の販売していた幼児向け英語教材というのも、まさにその世界でした。

モノとしては、これは、紙とプラスチックとインク、そんなものでできています。

色がカラフルであろうが、どこで作られていようが、素材はそんなものです。

なぜ、人はそれに対し、何十万円も払い、嬉々として手に入れるのでしょうか?

お客様のCさんは、こう言いました。

「かわいい××ちゃんを、なんとしても英語が話せるようにしてあげたいと思うんです。英語が話せたら、この子の世界が広がるんです。

学校で英語が始まっても、苦手意識なく、楽しく学び続けることができるでしょうし、大きくなってからは、世界中の人と友達になり、活躍の場が広がります。グローバルな仕事にだってつけるかもしれない……。

英語が話せる人はカッコいいし、仕事となれば、引く手あまた。収入だってきっといいに違いない!」

Cさんの言葉を聞いてわかること、それは、英語教材そのものを手に入れたいのではまったくない、ということ。

英語教材を得ることによってもたらされる、すばらしい未来を手に入れたくて、それを買う、という心理が見えてくるのです。

なぜ、パソコンが欲しくなるのか?

まだまだあります。

パソコンだってそうです。あれは、アルミホイルなどの金属やプラスチックなど、無機質なものでできています。

個人が、パソコンそのもの、という物体が欲しい！　というのではないはずです。パソコンがもたらしてくれる、今より充実した生活を手に入れたくてパソコンを買うのでしょう。

さんざん迷った末、ようやくパソコンの新機種を購入した友人に、なぜ買ったのか、聞いてみました。

すると、こんな答えが。

「新しいパソコンがあれば、イベントの案内状や年賀状など、自分の思うままに自由に安く作れるじゃないですかぁ。もう、プロに頼まなくっても、キレイに印刷もできますからね。また、インターネットにアクセスすれば、タダで無限に情報収集ができるし。ネットオークションで、欲しいものを思い通りの価格で手に入れることもできる。また、メールで写真や画像も、友人や親戚に自由に送信できます。ブロードバンドだと速いですよ。子供の写真も、すぐに両親に送ってあげられます。また、写真が趣味なので、学生時代の親友と、写真をアップするサイトを作って、たとえ忙しくて会えなくても、たくさん情報交換したいんです」

まさに、未来像です。

これらは、個人の購買ですが、企業もそうでしょうか？

企業だって同じこと。

ＨＰをリニューアルしたり、新規でもう１つ立ち上げる企業が増えています。

でも、ＨＰそのものを手に入れたいのでしょうか？　違いますね。

「社長、なぜ今回、ＨＰを新しくしたんですか？」って聞いてみました。

すると、返ってきた答えは、

「当然、売上をもっと増やしたい！　確実に右肩上がりの成長を遂げたい。今の当社にとって必要なのは、見込み客の集客を増やすことだ。で、見込み客開拓を広告に頼っていたのではお金がいくらあっても足りないし、それは一時的なもの。集客ができ、理念が伝えられ、自社の信頼が増すようなＨＰをもつことが重要なんだ」

そして、その社長は、かなりの金額をかけて新規ＨＰというものを立ち上げたのです。

企業は物体ではなく、人の意識の寄せ集めです。ですから、やはり、人の心が動いた時に、人が決断し、人がお金を出して、モノを購入、契約するのです。

なぜ、キレイで健康になれるものを買うのか？

サプリメントや、化粧品を愛用する個人も増えていますよね。なぜそれらにお金をつぎ込むのでしょうか？

「その液体、その粉、そのカプセルを手に入れたい！」なんて人はいないはず。

それを飲むことによって得られる、健康で快適な体、内面から充実しヤル気のみなぎるタフな自分、仕事だってガンガンはかどるでしょう。

そして、きめのそろった透明感のある肌、ハリのある素肌、そして、さらには、それに対する人の目……、人からの「キレイだね！」という賞賛……。

はたまた、キレイになった自分におとずれる、素敵な出会いの数々……。

そして、今よりもっと人から愛される自分。

そんなことを考えて、キレイで健康な自分とその未来が、買う時の原動力となっているのではないでしょうか？

人はモノを買いたいのではない！

ここまで読んできて、もう十分おわかりいただけたと思います。

人や企業が、お金を出してモノを買う心理、それは、モノそのものを買いたいのでは決してないということ。

人にはそれぞれ、自分の得たい未来像があります。

愛されたい、とか、楽しみたい、また、自由に選択したい、そして、スゴイと認められたい、など。

そして、少しでもそんな未来に近づきたい、それを手に入れたいと願っている。

それを手に入れる手段を心のどこかでずっと探し求めているのです。

探しているうちに、「そうだ！　これだ！　私が得たい未来を得るための手段は！」という気持ちで、ある特定の商品に出会うのです。

そういう求心力によって出会った商品のことは、人間なかなか忘れられません。

どんどんイメージがふくらみます。そのイメージとは？

商品そのものではありませんね。得たい未来像、自分の素敵な将来に対してのイメージなのです。

ここで見えてきたものがあります。

私たち営業の立場の人間が、お客様にもっともお伝えしなければならないこととは、**それを手に入れたあとに待っている、すばらしい未来像、充実した生活シーンだ、**ということなのです。**期待できる効果、**とも言えましょう。

人はそれを意識した時に、モノを買うことに対してモチベーションがわいてきて、いてもたってもいられなくなり、購買、という行動に走るのです。

なぜ、電話だけで売れたのか？

さてここで、あの10万円の商品を、1回の電話だけで売った話に戻りましょう。

なぜ、電話だけで売れたのでしょうか？

私たちは、まず、商品説明をくどくどすることはやめよう、と決めていました。

それは、送られたパンフレットにも書いてあるからです。

そんなものは見たらわかるし、それ自体が購入の動機になることは少ないからです。

そして、お客様に安心してお話を聞いていただける状態になってからは、一生懸命、その商品がもたらす未来像や、充実した生活シーンを語っていました。

もし、商品説明がお申し込みの一番のキーポイントだったらどうだったでしょうか？

そうであれば、商品を見せて、説明を繰り返すことがお申し込みへの最短距離でしょう。

それしか方法はありません。

もし、そうであった場合には、電話だけでは絶対に売ることができなかったはずです。

【吉野リージョン、月間売上高、推移グラフ】

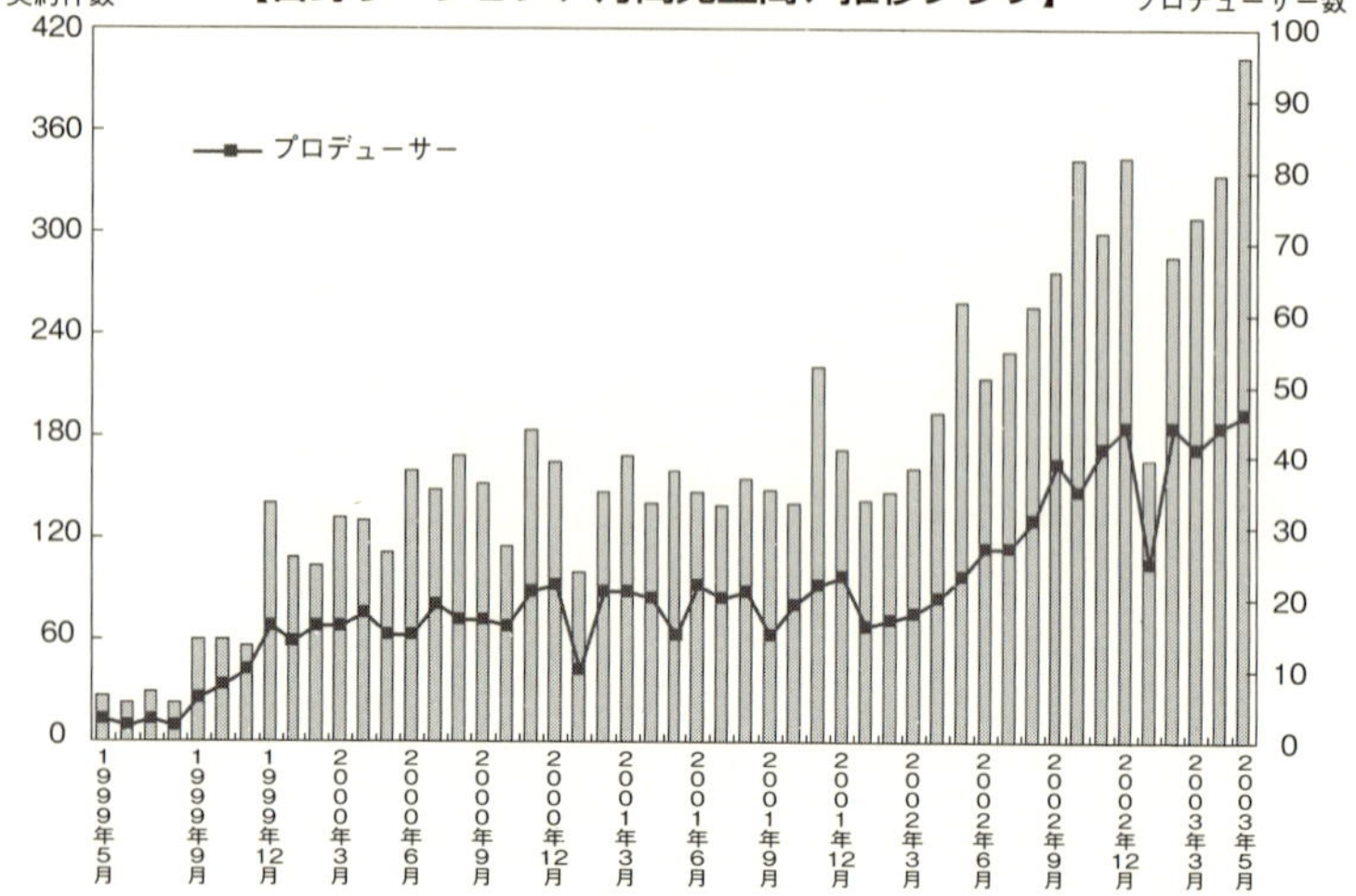

でも、現実に、電話だけで未来像、生活シーンを語って大量に売れた、ということは、人の心を動かす本当の部分、人が求めているものというのは、その商品がもたらす素敵な自分の未来だ、ということが証明されたわけです。

この事実に気づいた私たちは、電話だけではなく、実際にお会いしてプレゼンする場合にも、このポイントをおさえ、お話しすることを実践し続けました。

その結果、私の営業組織は、上のグラフのような目覚ましい伸びを示し、全国にトップセールスをたくさん誕生させたのでした。

私の失敗例！　机上の理論がうまくいくとは限らない

でも、いきなり、成功する営業の手法「購買心理学」にたどりついたわけではありませんでした。理解できないような失敗を数々経験するうちに、自分の生理的勘が働いて、見えてきた、というのが正直なところです。

特に気をつけなければならないのは、人が机の上で考えたうまくいく方法、それから、アメリカでうまくいったと言われる方法を取り入れた時です。

人が机の上の理論で、「こうすればうまくいくはずだ！」というのを自信満々に言われると、単純な私は、「そうだ！　そうだ！」とすぐに取り入れたくなってしまうのです。で、素直なメンバーには、それでずいぶん迷惑をかけたものでした。

また、アメリカでうまくいった方法をそのままもち込んで、お客様の反応が得られず失敗したことも多々ありました。アメリカ人の反応と日本人の反応っていうのは、相反することが多いですからね。

いずれにせよ、日本のこのマーケットの中でやってみて、ある程度量をこなしながら見えてくるのが、本当に成功する数少ないやり方だ、ということです。

そんなことに気づかされた、ここだけの私の失敗談を聞いてください。

私はあるベンチャー企業の社長の講演会に参加していました。

その社長の言葉が、いたく耳に残りました。

「今のお客様は、クロージングされることが嫌いなんですよ！　みなさんだって、そうでしょ！　人から、攻めたてられるようにクロージングされたら不快でしょ。クロージングっていうのは、今買え！　すぐ買え！　っていうことです。今の人はみんな、インターネットでじっくり調べて、自分で選びたい、って考えているんです。だから、これからは、クロージングをしない営業方法が主流になります。クロージングをするかわりに、やるべきこと、それは情報提供です！」

なるほどなぁ〜！　私はすっかりこの話が気に入りました。

で、さっそく営業部に帰って、みんなに報告です！

「これからの時代は、クロージングをしないで売ること！　クロージングではなく、やるべきことは情報提供です！　情報提供型プレゼンに、今日からうちも変えましょう！」

なんと、すばやい変わり身でしょう！

素直なみんなは、こっくりとうなずき、今までのクロージングをとりやめ、即、情報提供の資料の準備を始めたのでした。

他社よりいかに、自分たちの商品がすぐれているかを示す資料、どんなふうに効果が上がるかの統計資料、英語を始めるのはいかに早いほうがいいか、人間の知覚できる周波数（ヘルツ）の資料など、猛烈な勢いで資料集めと資料の作成をおこないました。

そして、とうとう、よし！　これで大丈夫！　というところまで準備を進めることができたのでした。

それからの3週間、それでうまくいったケースもありました。

でも、困ったことに、営業部のNo.1のT子と、No.2のS美が、急に売れなくなってしまったのです。

どうしたものか……。もう少し時間をかければすぐに慣れるだろう……。

そう思っているうちに、とうとう1ヶ月が経過し、なんと2人は、どん底の成績をマークしました。

ヤバイかも……と思っていると、S美から電話がかかってきました。

「……マネジャー！　もう情報提供型プレゼン、やめていいですか⁉︎　このやり方では売れません！　だって、プレゼンすればするほど、お客様が冷めていくんです。全然、熱くなってくれないんです。前のめりになって、欲しがってくださらないのです。以前の、夢を語るお話のクロージングに戻させてください！」

S美の言う通りでした。

情報提供というものは、すでに欲しくなってくださったお客様に対し、選択をしぼり、出口をふさぎ、確実に契約までの階段を上がっていただくには有効です。

しかし、従来型の未来像を語るクロージングにより欲しがっていただく、というプロセス抜きに、いくら情報提供をしてみたところで、「あ〜、はい、そうなんですか」と、お客様にとっては、まるで他人事でしかなかったのでした。

痛い教訓でした。

従来型の、未来像を語るプレゼンに戻してからは、あっという間にT子もS美も調子を取り戻しました。最悪だった月の翌月、その8倍もの数字を上げて立ち直ったのでした。

まずは、未来像を語ることで欲しがっていただく。このプロセス抜きにクロージングは語れないのでした。

✕ 情報提供だけ

◎ 情報提供 ＋ 未来像を語る

【プレゼンの構成とお客様の気持ち】

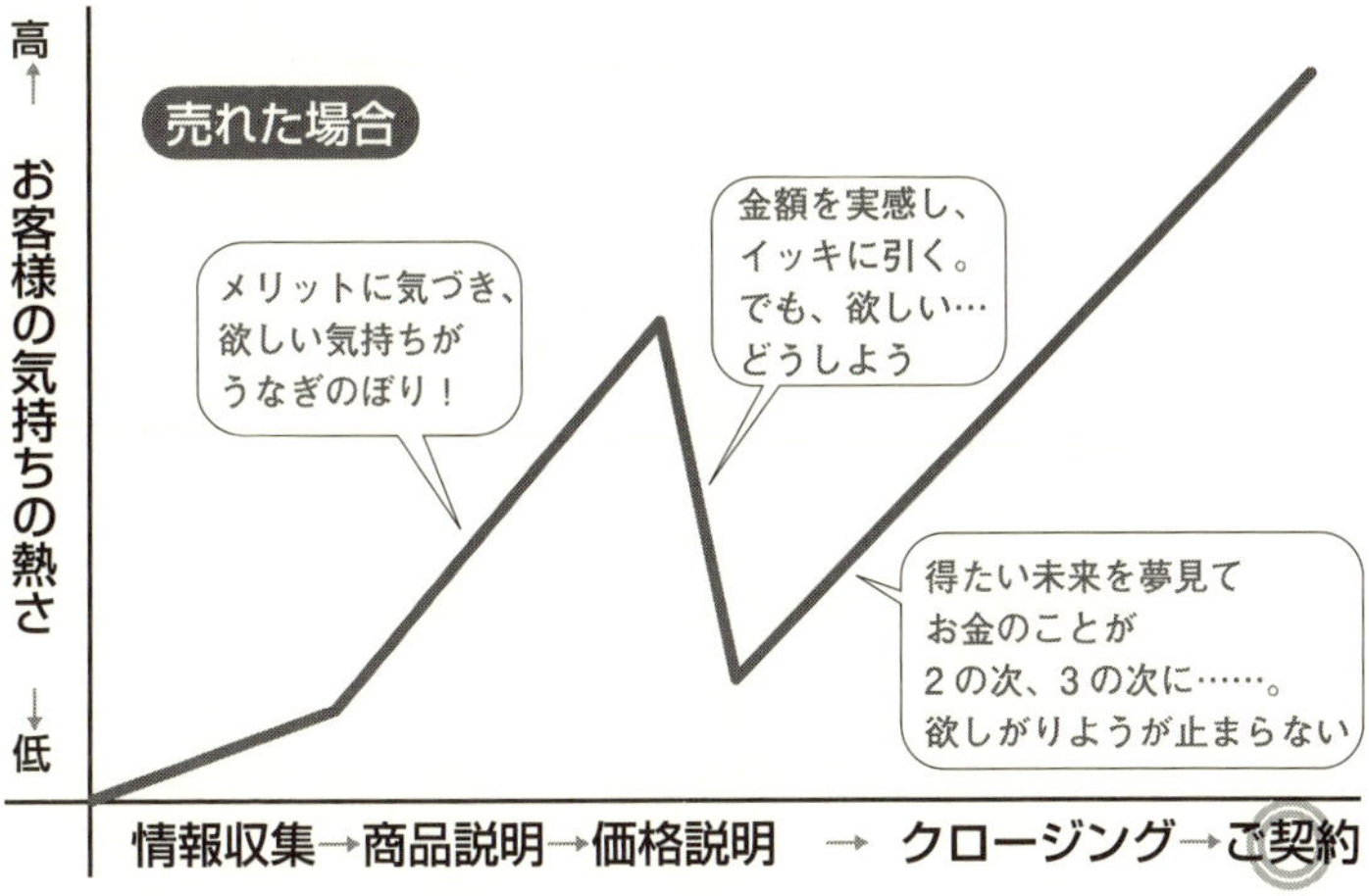
高
↑
お客様の気持ちの熱さ
↓
低
売れた場合
メリットに気づき、欲しい気持ちがうなぎのぼり！
金額を実感し、イッキに引く。でも、欲しい…どうしよう
得たい未来を夢見てお金のことが2の次、3の次に……。欲しがりようが止まらない
情報収集→商品説明→価格説明 → クロージング→ご契約

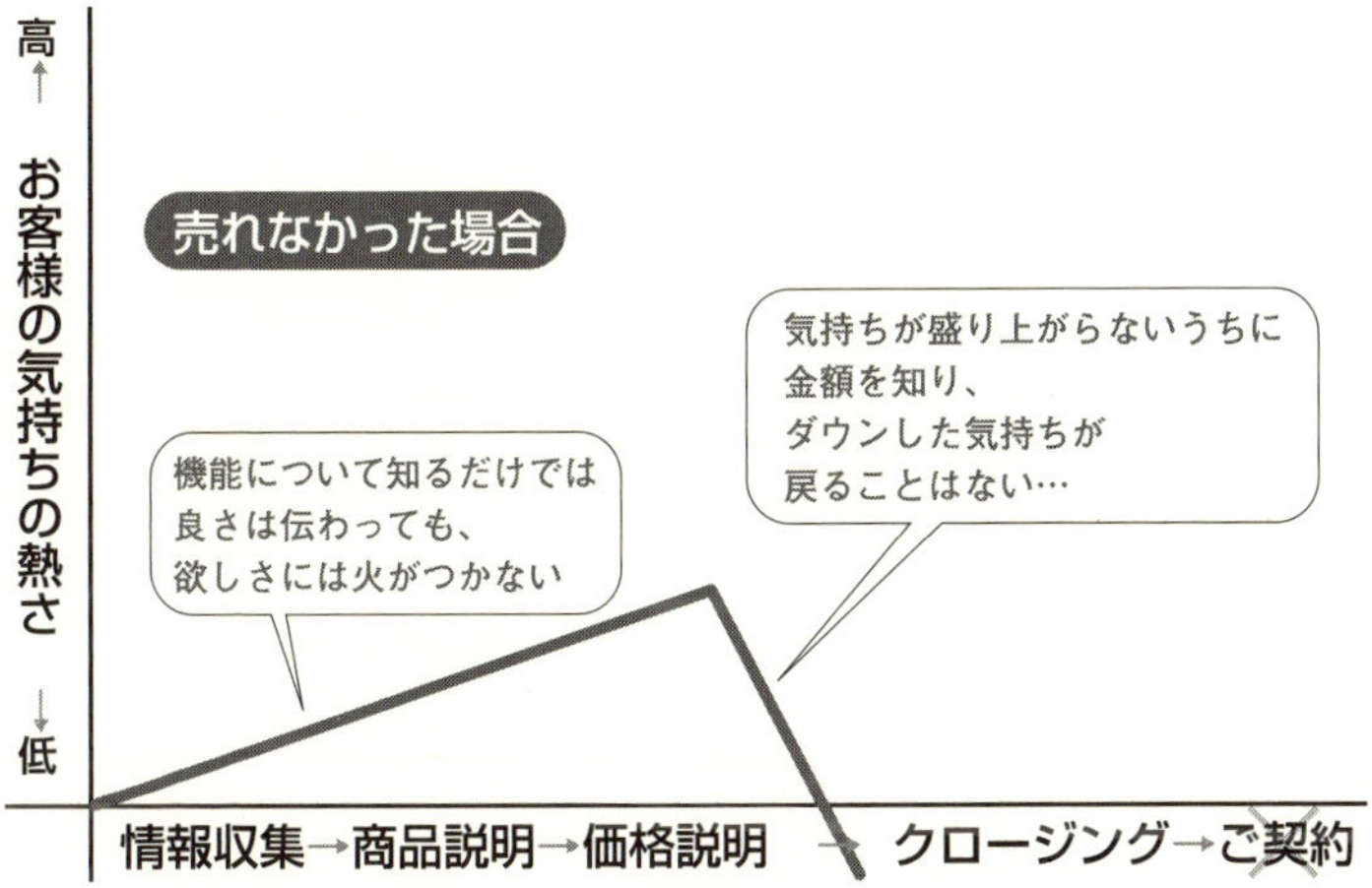
高
↑
お客様の気持ちの熱さ
↓
低
売れなかった場合
機能について知るだけでは良さは伝わっても、欲しさには火がつかない
気持ちが盛り上がらないうちに金額を知り、ダウンした気持ちが戻ることはない…
情報収集→商品説明→価格説明 → クロージング→ご契約

購買心理❷ 解決したい問題点

もう1つの「人がモノを買う理由」についてお話ししてみましょう。

本当にこの世には、いろいろな買い物があります。

形のないものも、その中には多く含まれます。

「形のないものは、売るのが難しい?」

いいえ、まったくそのようなことはありません。

イメージだけでいけるので、かえって売りやすいくらいです。

こういう人がいました。

彼は経営者でした。インターネットの世界で大成功し、売上も順調に拡大し、社員の数も増えました。ところが、社員数が30人を超えた頃、困ったことが起きました。

彼は、自分のリーダーシップのなさに気づいたのです。

どんなにインターネットに力があっても、会社では人が働きます。

人のモチベーションアップをし、自分の価値観や考えを伝え、人を動かす、ということがうまくできなかったのです。

彼は悩みました。

「僕に、リーダーシップがないのは、本当に問題だ。このままほうっておくと、せっかくの会社組織が崩壊してしまう。なんとか解決したい！」

その時、彼は知りました。

人間として生きていくための生き方、そして、リーダーシップが身につくセミナーがあることを。かなり高額でした。何十万円もかかります。

彼はどうしたでしょうか？

お金のことは多少は気になりましたが、どうしても現状の問題を解決したい、という熱い気持ちから、「エイ、ヤッ！」っと、クレジットカードをきり、もちろんそのセミナーを受講することにしたのでした。

そして、受講後は、手に入れたかったリーダーシップ、そして、実践する力も身についた、とたいへん喜んでいらっしゃいました。

この話でわかること。それは、人はある問題をかかえていて、それをなんとしても解決したい！　と強く思い、そして、それを解決する手段に出会った時迷わず購入する、ということです。

また、こんな話もありました。

J子さんのお子さんは、受験をひかえていました。受験そのものが問題ではないのです。お子さんのB美ちゃんは、アレルギーをかかえていたのです。体がかゆくなり、時々、夜眠れなくなり、睡眠不足が続きます。鼻もつまります。せっかく一生懸命勉強していても、集中できないことが多々あったのです。

J子さんは、これは大問題だと感じました。なんとかして解決したいと願いました。

そんな時に、少し時間はかかるが、アレルギー症状が徐々に静まる「水」とサプリメントに出会ったのです。

J子さんはどうしたでしょうか？　一も二もなく、その水とサプリメントを手に入れたのは言うまでもありません。

それを手に入れることで、自分のかかえている問題を解決されたのです。

瑣末な例で恐縮ですが、6年前に私が車を買い替えた時のことをお話ししたいと思います。

以前乗っていた車は、国産車でした。非常に燃費がよく、加速もすばやいナイスな車でした。東京都内を走るには、これ以上の車はないと、本心からそう思っていました。が、私は、車を買い替えました。

大きな車にしました。重くて燃費の悪い車です。そのへんにとめておくにも、気をつかいます。

なぜ、私はすばらしい国産車を捨てて、重い、大きな車を買ったのでしょうか？

その国産車は、ある重大な問題点をかかえていたからでした。

その問題点とはひと言、「カッコ悪い」ということでした。

その車で3年間営業をしていたので、すでに10万キロは走っていて、外装はボロボロでした。営業では初めての場所に行くことが多く、さんざん狭い路地にも入ったことで、車の四隅は全部こすってあったのです。

はっきり言って、ひたすらカッコ悪いと感じました。

「こんな車では、恥ずかしい！　今の自分にふさわしくない。人から笑われる」

そんなことが私にとっての問題だったのです。

私は自らの判断で、この燃費のよい車をやめ、大きな新車を買ったのでした。

そして、とても満足し、満たされた気分になったことも申し上げておきたいと思います。

英語教材を売っていた時代の、意外な体験もお話ししましょう。

そのお客様、Ｆさんは、それほどお子様の英語教育に興味があったわけではありませんでした。幼稚園に通うＲ君のママでした。

「別に英語はそんなにできなくても……困りませんから。生きていけますから」なんて、何度もおっしゃるのです。なぜ、このような方にアポが取れたのかも不思議でした。

始終うつむいて、「いつ終わるんですか？」と言いながら、私の話を退屈そうに聞かれてました。さすがの私も、もうこれ以上は無理だなぁ、と判断し、荷物をかたづけながら、ふと、なにげに聞いてみました。

「お子さんは、元気で積極的なほうですか？　それとも、静かなほうですか？」と。

すると、驚いたことに、それまで顔を上げずにいたはずのＦさんは、突然、私のほうを見て、こう叫んだのです。

「今、それで悩んでいるんです！」

ご事情をうかがってみると、お母様としての悩みが痛いほど伝わってきました。

「Ｒは、公園で遊ばせても、女の子にも泣かされて帰ってくるんですよ。男の子の遊びにももちろん入っていけないし。もう、自信のない子で、おとなしくって、私はイライラしてしまいます！」と、堰を切ったように話し出されました。

ひとしきり聞き終わって、私はこう切り出してみました。

「お子さんにとって、自信っていうものはものすごく大事ですよね！　お友達と遊ぶにも、学校に行くにも、生きていくうえでも。自信がない、っていうのは、生きる世界を狭くします。どうでしょうか？　R君に、これだけはできる！　これだけは僕得意だ、っていう自信を身につけさせてあげませんか？　1つ得意な科目があれば、お子さんにとってはそれが自信の源になりますよ。体育が得意でも、国語が得意でもいいですけど、英語が好きで得意だったら、それこそ、これからの時代、大きな自信につながるのではないでしょうか⁉」と。

すると、Fさんは座りなおして、こうおっしゃったのです。

「もう一度、この英語教材の話を最初から聞かせてもらえませんか？　私、さっきは、うちとは関係がないと思って、よく聞いてなかったんです」

もちろん、最初からプレゼンをしなおし、R君のために良いご決断をいただくことができました。

この出来事で、私はやっとわかったのです。

人が今、問題と感じていること、悩んでいること、それを先に知り、そこに向けてお話ししないと興味をもってもらえないのだ、ということに。

お客様ご自身の問題、悩みの解決の手段として提案をして初めて、こちらの話を聞いていただけるのだ、ということです。

企業の話もしてみましょう。

コンサルティングや、営業研修を導入する会社も増えています。

なぜでしょうか？

ある社長さんは、こう言いました。

「今期のプロジェクトを成功させるためには、どう考えても社内の営業力が不足している！　これは重大な問題だ！　しかも、春には新入社員もたくさん入ってくる。今のうちになんとかして、現状の営業組織の質を高めておかなければ！」

そして、「絶対に解決したい！　しかし、自分たちの手ではこれ以上の向上は望めない……」と思ったそうです。

そして、他の伸びている企業の事例から、「その解決方法は、コンサルティングや営業研修を導入することだ！」と知り、即、実行にうつされた、というのです。コンサルティングを導入され、その後の社内のよりよい変化に大満足されている、とのことでした。営業力の欠如という問題点を解決された、という事例です。

目的のない買い物はない！

これらの話に共通することは何でしょうか？

この世のすべての買い物には、その目的があった、ということなのです。

目的のない買い物はないとも言いきれるでしょう。

その目的に出会って初めて、人は興味をもち、「モノを買う」という行為に対するモチベーションが、自分の内面からわき上がってくるのです。

この目的というのが、得たい未来像を得ること、現状でかかえている問題を解決することと、その2つだったのです。

例は、さまざまですが、これらの話で見えてきたことがあります。

人がモノを買う理由、それはモノ自体にあるのではなく、人の頭の中にある、ということ。

どうしても得たい未来と、なんとかして解決したい問題点、これら2つが人を動かし、そして、お金を出して、モノを買う、という行動に走らせるのだ、ということが、ここまでの話の中で見えてきました。

またさらに、購買のもっとも強い動機づけになるのは、この2つがそろった時なのです。

ウォンツの基本　2つの動機がそろった時のパワーはすごい！

大きな買い物も、この2つの力で動きます。

たとえば、家です。

「夢の実現」と「問題解決」、この2つがそろった時、間違いなく人は家を買うことを具体的に検討し、そして、自ら動き、お金をかき集め、またローンを組み、買うという行動をします。

たとえば、どういうことでしょうか？

私の知人のX氏は、千葉に家を買った時のことをこう話していました。

「平日は忙しく働いても、週末はガーデニングをしたいんだよね。また、釣りにも行きたいし……。子供と近所でスポーツをするなど、のんびりストレス解消する時間をもてれば、仕事にだってもっとヤル気が出てくるかな、と思ってね」

また、その奥さんのY美さんはこう言っていました。

「友達を招いてホームパーティーをするのが、趣味なんです。だって、お料理とお菓子作りをとったら、私って何も残らないんですよ。家にいて、好きで得意なことをさんざんしたいのよ」

そういう理由で、多少遠い郊外に引っ越してでも、庭があり、広いリビングやキッチンのある一戸建てを望まれ、千葉の家を入手されたわけです。

この場合、その素敵な生活を手に入れたい、という気持ちと、大きくてキレイな一戸建てを保有することによって人から認められたい、スゴイ！　と思われたいなど、力の欲求を満たしたい、という気持ちもあったのでしょうね。

また、同時に一方で、問題をかかえていたというのも聞きました。

「両親と同居なので、みんなで住むには明らかに手狭だったのです。早く寝る両親に気づかって、夜は音を立てないように、こっそり帰ってきて、テレビもつけられず、神経をつかって暮らしていたんですよ」などと……。

また、暗くて狭いキッチンでは、ご主人のお母様と、奥さんのY美さんはいっしょに家事ができなかったそうです。

キッチンは主婦の城だというのに、思い通り料理の腕がふるえず、欲求不満がつのり、時にはそれが原因で喧嘩になることもあったとのことでした。

素敵な生活を手に入れ、思い通りの人生を歩みたい！　という望みと、現状での問題を一刻も早く解決したい！　という2つ熱い思いから、X氏はいてもたってもいられなくなり、必死の思いで家を買うことを決意した、というのです。

つまり、人は、思い通りの人生と、それを得るために邪魔になっている問題点の解決策を買おうとしてお金を出しているのだ、ということが言えるのです。

得たい未来像と、解決したい問題点、これらを強く意識した時、人はモノに関心を示し、欲しくなる。これが、ウォンツの基本なのです。

なぜ聞くのか？　何を聞くのか？

重要なのは情報収集

ということは、私たち、営業や販売サイドの人間がするべきことは、お客様のお気持ちをこの2つに向けてあげて、強く意識させてあげることにほかならないのではないでしょうか？

私は過去に、多数の売れる営業にインタビューしてきました。

すると、よく、このような答えが返ってきました。

「私は何も特別なことをしているわけではありません。

でも、1つ大事にしていることは、**お客様が求めているものを知り、それを満たすようにお話をすること**です」と！

やはり、売れる営業は、経験からすでに感覚で気づいていたのですねっ！

今までは、売れる営業だけが自らの感性でおこなってきたのが、この方法だったのです。

そして、売れる営業は同時にこのようなことも言っていました。

「**まず聞くこと。聞き上手になること**」と。

これはいったいどういう意味でしょうか？　ただ漠然と、お客様の話を聞いていても契約となるわけがありません。

よくちまたにある「営業は7割聞け、3割話せ」、そんなタイトルの本を読んで大スランプにおちいった営業を、私はたくさん知っていますよ！

ただただ、お客様の話を漠然と聞いたって、絶対に売れたりしません！

じゃぁ、どうすればいいのか？

何を聞くのか、何を情報収集するのか、が大事です。

売れる営業は、お客様が求めている未来像を聞き出し、察します。

お客様ご自身がどうなりたいのか？

何を手に入れたいのか？

何を求めていらっしゃるのか？

そして、それに一歩でも近づくために、
自らの商品がどのようにお手伝いできるのか？

ということを語るのです。

すると、当然、お客様は、自分の得たい未来を手に入れることには興味がありますから、その手段としてその商品に興味をもち始め、買うことを考え始めます。

未来が得たければ得たいほど、その商品のことも欲しくなる、という心の動きです。


もう1つ、聞き出すことがあります。

すでにおわかりのように、それは、お客様が現状でかかえていらっしゃる問題ですね。日本人の場合は特に、未来よりも過去に、また、得たいものよりも問題点に目がいきがちです。

よって、特に、**問題のありかを聞き、察し、そこに向かってお話しする、**というのは非常に効果的な方法です。時には、夢以上に問題を気にしますからね。

自分が意識している問題を解決するための手段としての購入だったら、当然、興味がわくものです。

営業は売り込むことをやめなさい！

「売り込む」って何すること？

さて、従来型の営業スタイルはどうだったでしょうか？

営業は、自社の商品やサービスの、良さ、強み、すばらしさ、その効用について、お話ししてきました。商品説明も、時間をかけて一生懸命やってきました。他社に対する優位性もお話ししてきました。

そして、営業の世界は、こんな言葉で彩られていました。

「自分を売り込め！」

「商品の良さを徹底的に伝えよう」

「自分の思いを熱く語る」

なんだか今まで話してきた「購買心理学」と、ちょっとかけはなれていますね。

これではうっかりすると自己中心的になってしまうかもしれないと、一瞬、あなたは違和感を覚えたのではないでしょうか。

そうなのです。この従来型のスタイルこそが、売り手側に主体性がある「販売」であり、そして、「売り込み」だったのです。

自分や、自分たちの商品を「売り込んだ」結果どうなったでしょうか？

「営業が大好き！　今すぐにでも来てほしい！」と申し出る人は少ないのではないでしょうか？

つまり、**売り手側の心理で動いては嫌われてしまう**、ということも起こるのです。

この「売り込む」という行為とは正反対のところに位置するのが、本書で全体を通して紐解いている、人がモノを買う心理「購買心理学」です。

人は自分の未来にしか興味がない！

人はみんな、自分に興味があります。

自分の人生、そして、自分の未来にです。

もっと言えば、自分にしか興味がありません。

日々、自分の人生と自分の未来のことばかりを考え、それをもっとよくしていきたい、と願っているのです。

相手の得たい未来を手に入れるため、そして、相手の問題を解決するためのお手伝い、この2つのこと以外に向けて話をした時、営業は「売り込んだ」とお客様に思われます。

「売り込むこと」とは、思考がお客様のほうを向いておらず、営業の自己中心的な行為とみなされ、「売り込み、お断り！」となってしまうのです。

ですから、営業が徹底的に口にすべきこと、それは、**相手の人生、相手の未来をよくするため、いかにお手伝いができるのか？** ということです。

このことを極めて具体的に、この商品によって、あなたの未来は、こうなりますよ。こんなにすばらしいことが待っているでしょう。こんなに楽しくなりますよ。こんなふうに現状の問題が解決され、こんなにうまくいくようになります、と。

そんなふうに相手の未来に焦点をあててお話しすることにより、お客様はどんどん興味をもち、前のめりになり、あなたの話に釘付けになるでしょう。

だって、人はみな、自分の人生をもっとよくしたいと思う存在なのですから。

そして、もっと自分の人生をよくしたい！　という熱い気持ちが、究極のところまで来た時に、お金のことが二の次三の次となり、「エイ、ヤァ！」と契約書に記入、または財布をあけ、現金やカードを出す、というわけです。

私から説明を受けて英語教材を買ったある友人は、その時の自分の心境をこんなふうに話してくれました。

「その時はもう、とにかく欲しくて欲しくてたまらなかったのよ！

そして、**なんだかいいことが起こる**、それしか考えられなかったの。

届いてからの楽しい生活……そして、子供が成長するにしたがって、どんどんよくなる未来！　子供のすばらしい将来の姿……。

とにかく、**良い想像しかできなかった**のよ！」

この話を聞いて、私たち営業は、お客様に対し、この良い想像をさせてあげるためのお手伝いをすることが使命なんだ、そう感じました。

私が、海外で作られたバッグを買った時の心境もそうです。

バッグが欲しかったのでしょうか？

いいえ、違います。バッグをもって、会社に行って、みんなから賞賛をあびる自分、というものを手に入れたかったのです。

「Ａ４の書類も十分入りますよ。そして、ストラップの長さもぴったり！　しかも、軽くて丈夫な皮でできています」

そんな店員さんのどうでもいい言葉を無視し、私は1人、想像の世界に入っていました。

「このバッグをもって、本社のトップメンバーの会議に参加したらどうかしら？

さすが、最近、数字もいい分、もってるものも違いますね！　おしゃれのセンスもいいですね！　って褒められるかしら？

VIPな人にも、物怖じせずにお会いすることができるわ！

このバッグさえもてば、普段のスーツも格上のものに見えること間違いなし！

やっぱり仕事がうまくいく人は、持ち物も素敵だね！　ってほめられるかしら……」

そんな想像が、頭の中をかけめぐっていました。

そして、私は自分で自分をクローズし、想像の中の自分の姿を手に入れたくって、「じゃぁ、これにします……」と、店員さんにバッグとクレジットカードを差し出したのでした。


企業についても同様です。

人がみんな、「よりよく生きていきたい」と、良い人生の存続を願っているのと同様に、企業は「売上を伸ばしたい」と考えています。

企業にとっては、「売上を上げる」「規模を拡大する、成長していく」ことが大前提であり、願いなのです。

なぜなら、その逆、縮小、衰退は、企業が死に近づくことを意味するからです。売上を上げ、成長する以外に、存続を保証するものはありません。

よって、企業相手に営業をする場合も、シンプルです。

相手企業のよりよい発展と売上アップのために、自社商品がどのようにお役に立ち、お手伝いができるのか、また、経費削減などに貢献できるのか、という視点で、営業は話を展開していくことです。

これを続ける限り、企業の担当者、責任者は、あなたにも、あなたの商品やサービスにも興味をもち続け、欲しがってくれることでしょう。とことん欲しくなった結果が、契約なのです。

3章

裏技トークと秘密のアポ取りスクリプト

ここまで読みすすんでいただいて、あなたの頭の中にも、お客様を内面から動機づけ、そして、契約に向かっていただく具体的な手法が見えてきたのではないでしょうか?

再確認してみましょう。

お客様が契約に向かう心理のポイントはただ2つ。「得たい未来像」と「現状でかかえている問題点」を明確にし、それを強く意識していただいた時にのみ、それを解決する手段として商品を購入する、というところに気持ちが向かうのです。

ならば、その2つの聞き出し方も学んでおく必要がありますよね。

では、この章では、お客様のホンネを聞き出す技術をみなさんにご紹介しましょう。

お客様のホンネを聞き出す裏技トークを学ぼう

さて、ここで、みなさんからの声が聞こえてきそうです。

「現実に、**お客様が本心から求めてらっしゃるもの、**それから、**現状でかかえていらっしゃる問題点って、どうやって聞き出したらいいの？**」

そうなのです！

「あなたはどうなりたいですか？　何を求めていらっしゃいますか？」なんて、営業の私たちがお客様に面と向かって聞いたって、「はぁ？」って言われるのがおちですよね。また、「今日会ったあなたに、なんでそんなこと話さなきゃなんないの？」って言われるかもしれません。

また、「あなたが今、かかえていらっしゃる問題点はなんですか？」なんて聞いたところで、「それを言ったら、そこにつっこんでくるんでしょ！　魂胆バレバレ！」なんて、誰も答えてくれないことと思います。

そもそも、95％以上のお客様は、普段、漠然と生きていらっしゃいますので、自分が人生の中で求めているものなんていうのは、日々の忙しさにかまけて、ほこりをかぶり、すっかり埋没してしまっているのです。考えたこともない、っていう人も多いでしょう。問題点だっていっしょです。問題を気にしていては、つらくなるばかり。よって、現状かかえている深刻な問題があったとしても、それからは目をそむけ、見て見ぬふり、そんな方が多いのではないでしょうか？

相手の求めている未来、そして、かかえていらっしゃる問題点を明確にし、そこに向けてお話しすることが購買心理学の基本とするならば、その2つの聞き出し方も学んでおく必要がありますよね！

では、ここからは、お客様のホンネを聞き出す技術です！

ほめ殺し話法　問題点がぞろぞろ相手の口から出てくる！

この手法を発見した、エピソードをお話ししたいと思います。

私は、幼児英語教材の営業でしたので、日々、お客様のところにアポ取りの電話をしていました。

小さいお子さんに英語を始めさせてあげるのは当たり前、という幼児英語ブームの昨今です。やはり、開口一番に言われるのは、「うちはもう英語始めてますから結構です！」

や「3ヶ月前に、英語教室に通わせ始めたばかりです！」という言葉でした。

どうしよう……。

「わかりました。では、ご縁がなかったってことで……」って電話を切るのでしょうか？

それとも、「いや、それだけでは、不十分です！　うちの教材も買ってください！」って勧めるのでしょうか。もしくは、すでにやっていらっしゃる方法の悪口を言うのが正解でしょうか？

「あ〜、あの教室（教材）ですか。あれは、ダメですよね〜！　高いだけで、全然身につかないって評判ですよ！　3年通った（使った）方を知ってますけど、全然英語なんて話せるようにはなってませんでしたよ！」なんて……。

周りの人のトークに耳をかたむけてみたところで、これらと大差はありませんでした。どれも私の性に合わないトークです。

私は、お客様が現状でやっていらっしゃる方法を否定、批判することが大嫌いなのです。だって、その人がよいと思ってやっていらっしゃることなんですから。

それを否定したら、怒るでしょう。そんなことをしても、何もいいことはありません。

ましてや、私の扱っている商品に興味をもってもらうことなんて、できないでしょう。

どうしよう……。なんて言ったら、いいんだろう……。

悩む日々は続きました。

ある日また、こうした断り文句に出合いました。

「うちは2ヶ月前から英語教室に通わせ始めたばかりなので、結構です！」と、Gさんはおっしゃるのです。

ふと、「負けるが勝ち」っていう言葉が頭をよぎりました。

そこで、私は普通とは真逆の言い方をしてみたのでした。

お客様がすでに英語をスタートされている、という事実を徹底的にほめたのです。

「え〜、まだ2歳でいらっしゃるのに、もう英語をお始めになってるんですね！　すばらしいですね！　Gさん、本当によいご決断をされましたね。この時期に始めると、最高の効果が得られるんですよ！　本当によかったですね。お子様の口からも、単語などキレイな発音でどんどん出てきているんじゃないですか？　出てきた時は、発音がよくてびっくりするでしょう！　家でも、ついついご挨拶には英語が出てきてるんじゃないですか！」と。

私は、お子さんの期待できる成長を想像し、ありったけほめてみました。

たとえそれが他社教材、他の英語教室による成果であっても、今のこの時期にきちんと英語を始めている、そのこと自体がすばらしい、と本心から思ったからです。

こうお話ししたあと、お客様の態度に明らかな変化が生まれました。

「……いぇ……そんなことないんです。実は……」

すると、Gさんの口からは、出るわ出るわ、現状の英語教室の問題点が語られ始めたのでした。

「発音が大事だ、と思って外国人の先生の教室に通わせ始めたのだけれど、なんとうちの子は、人見知りが激しいほうで、なかなかとけこんでくれないんです」

「そうだったんですかぁ……人見知りで、なかなか先生になつかないと……」

私もしっかり聞き役にまわりました。

さらに、「週に2回50分も通えば、相当英語が入るかな、と思ったものの、逆に、たった週に2回でした。他の5日間は日本語の環境なので、すっかり忘れてから、毎回一からやりなおしなんですよぉ」

「そうでしたかぁ。毎日やらないと忘れちゃいますものね」と私。

また、さらには、「教室では積極的な子供に押されて、うちの子の入るすきがないんです。なかなか出番がまわってこなくて、英語を口にするチャンスが少なくて、イライラする」など。

これらの具体的な問題点に、私はいちいちうなずき、復唱しながら確認して、聞いていきました。

いろいろ問題が出尽くしたところで、ようやく、私の仕事がお役に立てる場面が見えてきました。

「そういう状況であれば、私がちょっとお手伝いできるかもしれません」と。

そして、その問題を解決できる手法として、自社商品の紹介に入ったのでした。

人は、すでに同様の商品をもっていたとしても、**完全にそれに対し満足しているわけではありません。**どこかに不満を感じていることが多々あります。

それを知り、「その不満点、問題点を解決するためのお手伝いだったら、できますよ」ともっていくと、話の接点が見えてきて、こちらから提案するポイントがつかめるのです。

日本人って、とっても不思議です。ほめられることに慣れてないんです。

だから、ほめられると、実際自分がどう反応していいか、わからなくなってしまうんです。

「本当にすばらしいですね！　さすがですね！」って、めいっぱいほめられると、ついつい、「いやぁ、そんなことないんですよぉ」とか、「それほどでもなくってね……」なんて、ほめられた恥ずかしさ、落ち着かなさを、**自分の欠点や問題を暴露することでう**

めようとするみたいです。

で、ついつい、現状の問題点を、自分の口から全部しゃべってしまうことに。

それを、聞いているこちら側は、あくまで、相手の話に対し、「そうだったんですかぁ」と熱心に聞きながら、**とにかく復唱していく**ことです。

復唱された人は、自分の話をじっくり聞いてもらえているという快適感から、さらに、また同様の困った話をし続けてしまう、というわけです。

そして、それに向かって提案することで、快くプレゼンに結びつけることができたのでした。

これは、非常に多くの人の行動パターンです。次の例からもわかります。

ある会合でお会いした部長のKさんを、私はすばらしいとほめました。

「K部長、すばらしいですね！ ここまで結束の固い組織を築かれて。ヤル気に満ちた組織ですね。みなさんのお顔を見ればわかります。イキイキしてらっしゃいますもん」

本当にそう思ったから、そう言ったのです。

すると、驚いたことに、私が聞いてもいないのにK部長の口からは……。

「いやぁ、実は、そうだったらいいんだけど、それほどでもないんですよぉ」と、部内の問題点を語り出されてしまったのでした。

また、こういうこともあります。

「Mさんって、本当にお肌きれいですよね～！　いい意味で年齢不詳ですね！」と言うと、「そんなことないのよ～、もう年だから、ほら、見て！　小じわも増えちゃって……」と、つい、気にしている点を言ったりしてしまいます。

このようにして徹底的にほめられると、現状でかかえている問題点を話し始めてしまう、という行動癖が日本人にはあることに気づいたのでした。

これを私はオリジナルで、「**ほめ殺し話法**」と名づけました。

しっかり聞き出す秘訣としては、表面や口先だけではなく、**ほめるときは本当に心の底から言うこと**です。

人は、言葉が表面だけのものか、本心からのものなのかは、すぐに見抜きます。うまくいかない場合は、心がこもっていないからか、もしくは、観察が足りず表面的な場合です。

問題を語ってもらいたければ、まず、徹底的にほめましょう！

ちなみに、この手法、日本人のみに通用すると思われます。過去からほめる、ほめられることが習慣になっている国では、別の反応が出てくると思います。

ほめることが定着している国では、ほめられると、きっと「サンキュー！」と言って、そのほめられたことを増幅してお話しされるんじゃないでしょうか。

レッスン

**日本人は、あまのじゃく！
問題点を知りたければ、まずほめよう！**

コンプレックス話法　求めている未来像が相手の口から出てくる！

ある時、私、気づいたんです！

自分の過去や、今していることをふりかえるうちに、自分が求めているものには、ある一定の法則があるってことに。

自分がこうなりたい、とか、子供をこんなふうに育てたい、などという未来への展望、求めるものは、**過去の自分の悔しい体験からくるのだ**、っていうことに。

気づいたのは、次のことからです。

私は、子供の英語教育には、ただならぬ思いがありました。

20代のOLの頃から、友達とも言ってました。

「子供が生まれたら、私、絶〜っ対、小さい頃から英語を学ばせる！」

「私も！　生まれてすぐから始める！」

なんて。

どうしてそんなに英語教育にこだわったのでしょうか？

実は、大人になってからニューヨークに2年住み、初期の頃、うまく英語が話せなくてたいへん悔しい思いをしたからでした。

テレビを見ても全然わからないし、近所づきあいもできない、会社がらみのパーティーなどに参加しても、世間話もできずニコニコつっ立ってるだけでした。

「もっと自由に英語が話せたら、どんなに楽しいだろう！」

いつもそう思い、悔しがっていました。1年住むうちに、だいぶ上達はしましたが、それでも自分の満足のいくものではありませんでした。

ある時、こんなことがありました。3歳のお子さんを連れた日本人駐在員が、ニューヨークにやってきました。

親しく家族づきあいをするうちに、その3歳のお子さんの英語の習得の速さに驚かされたんです。テレビを見ていて、

「ねぇ、Never mind って、大丈夫、ってこと?」

などと、誰も教えないのに勝手に意味を理解し始めたのです。

状況と言葉を組み合わせて覚えていく、しかも、音マネから入るので、とっても発音がいい! しかも、耳のほうが英語の音になじむらしくって、どんどん聞いて、どんどんマネして、あっという間に日本語と英語のバイリンガルに育っていったのです。

本当にすばらしいし、うらやましいと思いました。

今、私が3歳だったら、こんなに苦労して英語をマスターしなくてもいいのに!

時間を巻き戻して、やりなおしたい!

そうだ! 自分に子供が生まれたら、必ず小さい頃から英語を始めさせてあげよう!

絶対に英語で苦労させない。そう決心したことが忘れられません。

で、実際に子供たちには、生後間もない頃から英語教育をスタートさせたのでした。

もちろん、早期英語教育については賛否両論があることはわかっています。

ただ、ここで1つ言えることは、人間は、**自分の過去の悔しい経験から、自分の求める未来や子供の将来に夢を託すという傾向がある**、ということなのです。

たとえば、こういうこともあります。

自分が家の事情でどうしても上の学校に行くことができなかった人がいたとします。行きたい大学があるものの、経済的事情などであきらめたというようなケースです。

そして、いわゆる学歴というものを手にしそこなったとします。その後、社会に出て活躍するも、学歴がないことで悔しい思いをしたとします。

その人は、どうするでしょうか？

大人になって、成功して、地位や名誉を手に入れてから、自分でもう一度行きたかった大学に通い勉強しなおし、さらに知力を磨く、ということもされるでしょう。

または、自分の子供にだけは絶対に学歴を！　と強く願い、当然、そのことに徹底的にコミットメントし、実際に子供には高い学歴を身につけさせる、ということも起こってきます。

教育だけではありません。過去に自分がいじめられっ子で悔しい思いをした人が、大人になってから社会的に成功し、この世からいじめをなくすような活動に精を出していらっしゃる、という例もたくさん知っています。いじめられた経験がない人よりも、よりエネルギッシュにその活動にはげまれることでしょう。

私には、過去の悔しい経験から自分の生き方を選んでいる例がもう1つあります。

中学校の時の恩師を、ガンで亡くしているのです。

その先生は、女性で、生涯独身をつらぬいた人でした。結婚をせず、お子さんをお産みにもならず、そして、乳ガンと子宮ガンを併発し、なんと40代でお亡くなりになったのです。

きっと無念だったことでしょう。まだまだ教師としても、1人の女性としてもやりたいことがいっぱいあったことでしょうに。

「すばらしい先生だったのに……。今生きていらっしゃったら、現在の私の様子をぜひともご報告したい！　でもそれはできない……」

今でもそう思い、悔しく、残念な気持ちになります。

そんな私は、乳ガン、子宮ガンを極端に恐れ、嫌いました。

早めに結婚し、子供を2人産み育てる、という選択をしたのも、この先生のことが頭にあってのことです。さらに、今も年に2回は、追加料金を払ってでも精密に検査を受けることにしています。たとえ何かあっても早期発見し、絶対にそんな病気で命をおとすものかっ！　といつも心に誓うのでした。


人にとって、「過去の悔しい体験」というものは、自分の中に深く根ざし、人生の中で、さまざまな選択や描く未来、求めるものに影響を与え続ける、ということです。

よく、ハングリー精神、と言いますが、それに近いかもしれません。

過去にした悔しい思いの質と量が、その人の未来に向けるエネルギーを作るのかもしれません。

たくさんの悔しい思いが、自分の人生、これからの未来に対して強いエネルギーの源となり、また、求める未来や行動の選択を決めるように思うのです。

よく、何不自由なく育ったお嬢様、お坊ちゃまというのは、ふわふわしていて主体性がなく、ハングリー精神に欠ける、なんて言われますが、それも同様と思います。

何がなんでも、よくなりたい！　自分の手で、自分の未来を切り開きたい、そういう思いというのは、過去の悔しい経験の質、量からくることが多いと思います。

さて、営業の話に戻しましょう。

そんな経験から生まれたのが、**コンプレックス話法**です！

お客様ご自身の過去の悔しい経験を聞き出し、自ら話していただくことによって、あらためて悔しさを感じていただき、そして、その思いを求める未来に向けていただく、ということです。

幼児英語教材の営業をしていた私は、こんなふうに切り出してみました。

お客様に対し、最初のリレーション作りのところで、「Qさん、以前に、もっと英語が話せたらなぁ〜と思ったことはありますか？」って。

すると、何当たり前のこと聞いてるの⁉　みたいな顔をされ、「そりゃ、ありますよ！」とおっしゃいました。

「それは、具体的にどういう時ですか？」と聞いてみます。

すると、最低2つは出てきますね。

「以前、アメリカに短期留学した時に、気の合うアメリカ人男性がいて親しくなったんです。で、何度かいっしょに食事して、楽しい時を過ごして、でも、私は英語がたいして話せなかったんです。通訳付きでデートするわけにもいかないでしょう。

で、結局、表面的な話とか、挨拶くらいしかできなくって、自然消滅しましたよ。

その後、日本に帰ってきてから、英会話スクールに通って、必死に英語を勉強しましたけれども、たいして上達しませんでしたね。お金と時間ばっかりかかって……。

私も、英語が話せていたら、人生変わってたかも⁉」

なんて、まじめな顔しておっしゃるのです。

そして、その時のQさんの変化に驚きました。

Qさんは、**自分で語りながら、どんどん悔しくなっていったよう**でした。

そして、最後には、こうおっしゃったのです。

「自分が苦労したぶん、子供には、絶対に英語で苦労させたくないんです！」

過去に自分が英語で悔しい思いをしたぶん、子供には、絶対に英語が話せる人生を歩ませたい、という将来の展望が強く出てくるのを感じました。

ははぁ〜ん、**人って、過去の悔しい経験を思えば思うほど、得たい未来に思いを馳せ、将来に対するモチベーションが出てくるのだな、**と気づいたのでした。

悔しさの大きい人ほど、何がなんでも自分の手で自分の未来をよくしたい！っていうエネルギーも強いのでしょう。

人生においてのマイナス経験は、決して、マイナスではないんですね。

それを未来へのモチベーションに変えてこそ浮かばれる、というものです。

さて、それをいかにして聞き出せばいいのか、本人の口から言ってもらうか、です。

日本人の場合は、思考はどうしても過去に向きがちです。ですから、**自然に話をしていただくだけで、過去の悔しい経験が出てくることが多い**のです。

別に、「あなたは過去に、どんな悔しい思いをしましたか?」なんて聞く必要はありません。

「○○さんは、どちらのお生まれなんですか？」


などと単純に、故郷や子供時代のことを聞いてみます。

すると、だいたいの場合、**過去のいまいちハッピーでなかった経験が出てきます。**

それを丁寧に聞いていくうちに、

「だからこそ、今は、このようになりたいと思っているんですよ！」

などと、未来への展望が出てくる、というものです。

レッスン

**悔しい過去経験を語るうちに、
人はそれを修復したいと未来への思いを馳せる！**

よくある質問

マイナスをプラスに変えられる人とそうでない人の違いは?

Q

過去に悔しい思いをした人が、すべてにおいて人生に前向き、成功しているとは限りません。マイナスの経験をプラスに変えることができる人と、そうでない人の違いって何なんでしょうか?

A

それは、もう、本人が、「すべての源は自分にある」と感じることができるか、「人のせいにして、終わるか」、そこにかかっています。

どんな人にとっても、完全に恵まれた人生を最初から歩むということは考えにくく、必ず、思い通りにならないことや、コンプレックスを感じる環境や事態に遭遇するわけです。

その時点で、自分が主体性をもって言動を変化させることで、「自分の人生は、自分で変えられる！　変えよう！」という考え方ができるかどうかです。

実際のところ、うまくいかない事態そのものも、自分の言動が招いた結果である場合もありますよね。

そんな場合に、周りの人や環境のせいにして恨む、という逃げの選択をする人がいます。そんな人には、自分の人生をプラスに転換することは難しいですよね。

実は、私自身も、幼少期は「いるのかいないのかわからない子」（存在感のない子という意味）と言われて育ちました。「気の利かない子」とも言われました。

そういう自分のイメージが大嫌いでしたし、そのように言う人に対して否定的な気持ちをもちました。

でも、中学校にあがる頃、それは自分の笑顔や言葉の足りなさが招いていることかもしれない、と、気づいたのです。そこで、そんなイメージを払拭したくて、自分の言葉と行動を変えてみました。すると、自分の印象も、周りの目も、環境もすっかり変わる、という体験をしたのです。

まず、変えられないと思った多くのものは、自分の言動を変化させることで変えられるんだ、ということに気づくこと、そして、あなたが営業で相手がお客様なら、それを気づかせるようなトークをすることから始まるのではないでしょうか。

スーパーアポ取り術

すばらしい営業の仕事を、何もストレス耐性の強い人だけにまかせておく手はありません。傷つきやすく心のやさしい、誰にもできる営業術とアポ取り術をご紹介していきます。

これからお話しするスーパーアポ取り術は、前述のような背景のもと、私が営業の現場で自ら何万回という電話営業をし、試し、開発したものです。

従来型の営業の手法とは、相反するアドバイスも多いかもしれません。過去に上司から教えられたことと真逆のことを、この本は説いているかもしれません。

でも、「えっ!?」と思うのであればこそ、ぜひ、現場で試していただきたいのです。

その成果に、目を見張ることも多いでしょう。

私だってそうだったのですから。

そして、この方法を応用することによって、電話だけで10万円の商品を１５００個販売することにも成功したのですから。

この本が、根本からあなたの常識をひっくり返しても怒らないでくださいね。そのぶん、必ず成果という意味で、お返しいたしますから！

スーパーアポ取り術には、3つの特徴があります。

❶ストレスが少ない。自分が傷つかない。
❷本物の見込み客にだけ、アポが取れる。
❸一度でアポが取れなくても、何度でも電話をかけられる。

こんな夢のようなアポ取り術をご紹介していきたいと思います。

すいませんコール　2秒で、まず謝る！

初歩的なことをお話しさせてください。

営業の仕事を始めて、見ず知らずの人に初めて電話をかける時、あなたは怖くありませんでしたか？　私は、すごく怖かったです。

じ～～っとリストを見て、名前とか住所とか、そこからはそれ以上の情報は得られないのに、考え込んで、「よしっ！」っと思い手を伸ばし、必死にダイヤルし、呼び出し音……。で、相手が留守だったら、なぜか妙にほっとする……。私はそんなところからスタートしました。これって、ナチュラルなことだと思いませんか？

でも、営業の世界では、こう言われます。

「なぜ、電話が怖いんだぁ！　電話は嚙まないから！」

そんなこと言われても、全然気も休まりませんよね。

で、私はお客様の立場にたって、違う考え方をしてみました。

お客様もたいへんだなぁ。何か用事をしている時に、突然、見ず知らずの人から電話がかかってくるんだもん。どんな電話だと腹が立つかなぁ？

どんな電話だと腹立てないで、気持ちよく対応したくなるかしら？　って。

お客様が、少しでも気持ちよく電話に出て、応対してくれるようにもっていけば、こちらもかけやすくなり、ストレスも激減するのです。

まずは、こちらの言動によって、お客様が怒ったり、いらだった対応に出ることを防ぐような工夫をする、というわけです。

で、開発したのが「**すいませんコール**」だったのです！


朝9時にお客様に電話をします。

数回コール音が響きます。

で、ぶっきらぼうな声で、お客様が出ます。

今時、電話をとって名乗る人はほとんどいません。

暗い声で……「……もしもし……」、それが普通です。

そこにいきなり、**「朝からすいませ〜ん！」**と、**心をこめて、しっかり謝ってしまうのです！**

自分が名乗る前に、謝りましょう。

謝らずして、先に進むことは絶対にできません。

だって、お客様はこう思っているのですから。

『何なの⁉ こんな時間に！ 誰よ、いったい⁉ 忙しいのに邪魔しないでよ！」

そこに向かって名乗るよりも、用件を言うよりも先にすべきこと、それは、きっぱり潔く、謝ってしまうことだったのです。

しっかりした声で「朝からすいませ〜ん！」と言い放つと、面白いことが起こります。

日本人というのは、相手が思いっきり平身低頭の姿勢で潔く謝ってくると、それ以上、たたけなくなってしまうのです。

「すいませ〜ん！」

「……はぁ……」

ってなもんです。

「朝からすいませ〜ん！」と言った人に向かって、「なんだ！　こんな時間にぃ！」とは、かえって言えないものなのです。何万回電話しても、そんな人に出くわしたことは一度もありません。だから、自分が名乗るよりも、相手を確認するよりも前に、クリアすべき第1の関所、それは、

心をこめて思いっきり謝ることで、相手の怒りを消去する！

これだったのです。

なお、こうして、「朝からすいません」など、時間帯に対する謝りを入れることで、こちらは、**「配慮のある人だ」といった好印象**を残すことができます。

「朝の忙しい時に電話をしてしまって申し訳ない、っていう気持ちがにじみ出てるわね、この人……」といった感じです。

相手が怒るタイミング、チャンスをずばり奪ってしまう、手法です。

「すいませ〜ん！」の部分に思いっきり心をのっけて、**大きな声で、はっきり発音しましょう。**

なお、これをしないと、どうなるか……。

あなたの予想した通り、ギザギザした心のままのお客様と応対することになり、ストレスいっぱい、しかも成果の上がらない電話になってしまいますよ。


さて、この手法を教えると、必ずこう言う人が出ます。

「マネジャー、やってみたんですが、お客様がギザギザのまんまなんです」

「おかしいですね。ちょっとやってみてください」

やってもらうと、こんなふうになっていたりします。

✕

「朝早くから、こんな時間にお電話してしまって、誠に申し訳ございません。わたくし○○株式会社の××と申しますが……」


これのどこがいけないんでしょうか？

ずばり、**長いんです！**

最近のお客様は、せっかちです！

長々と相手がセリフを言い終わるのを、黙って待って聞いていられないんです。

「朝からすいません」だったら、9文字です。

1秒で人は6文字しゃべれる、と言いますので、9文字ならおよそ2秒です。

この2秒で、お客様のいらだちを消去するのです。

前記の長ったらしいセリフですと、謝りの部分だけで、なんと39文字になってしまいます。

さっさとしゃべっても、7秒です。

2秒と、7秒、この差5秒が命取りなのです。忙しいお客様を、かえっていらだたせて、電話を切らせてしまうのです。

レッスン☞ 2秒で相手の怒りを奪え！

相手のハッピー！ 10秒で伝えよう

最近、つくづく痛いほど感じるのは、人は、自分のハッピーにしか興味がない、ということ。

人を動かしたければ、人に振り向いてもらいたければ、**その人に対するハッピーな予告や、本人の損得にかかわることを瞬時に提示しなければならない。**これが、私が12年かかってつかんだ電話営業で成功する鉄則です。

私たち営業の側が伝えたいことと、お客様の興味の対象は、まったく相反することもありますよね。

自分たちの言いたいことを言うより前に、まず、振り向いてもらわなくっちゃ！　ということで、2秒で謝ったあとは、振り向いて、そのまま興味をもって、すい込まれるように電話に引きつけられていただくためのトークです。

私の失敗例からお話しましょう。

それは、ある年の2月になったばかりの日でした。

「2月は寒いから、お客様はみんなお家にいらっしゃるでしょう。だから、電話をかければかけるだけ、アポもたくさん取れるわね！」

そんな甘い思惑は、一気に吹き飛ばされてしまいました。

「マネジャー！　たいへんですっ。今週になってから全然アポが取れません！」

営業サイドだけではなく、テレアポ専門部隊にも聞いてみました。

彼女たちも同様のことを言っています。

「いったいどういうこと？　ちゃんとかけてるんですよね、いつものように」

「もちろんです！　2月になったので、キャンペーンが変わりましたから、ちゃんと新しいキャンペーンの名前でお話ししています」

「ん……？　新しいキャンペーン……」

「はい、2月からはスプリング・キャンペーンです。ですから電話では、『スプリング・キャンペーンが始まりました！』と開口一番にお伝えしています」

「……？　……それかも!?」

12月は「クリスマス・キャンペーン」と銘打ってました。1月は「お年玉キャンペーン」、そして2月になり、「節分キャンペーン」とも言えませんので、スプリング・キャンペーンと言ってみたのです。

はっきり言って、スプリング・キャンペーンと言うようになってから、お客様が「そそられなくなった」というわけです。

12月、1月と、そして2月、いったいどこが違うのでしょうか？

「わかった！　違いがっ！」

「クリスマス」「お年玉」とくれば、なんだかモノがもらえそうなにおいがする！　いいことありそう、プレゼントがもらえそう、単純に言葉だけでハッピー感が漂うのです。

それにくらべて、スプリング・キャンペーンはどうでしょうか?

まず、一切、モノがもらえそうな雰囲気がしない！　これがいけなかったのです！

さらに……。

聞いただけでは、ただの長いカタカナなのです。

往々にして日本人は、カタカナを耳だけで聞き取るのが苦手です。

しかも、それが電話の場合には、何を言われたのかよく聞き取れないのが普通なのです。

聞き取れたとしても、スプリングでは、ベッドのそれを思い起こす人だっているでしょう。

これを訂正しない限り、2月の売上目標は危ない！

そう判断した私は、さっそくトップセールスに連絡を取り、相談を始めました。

「いったい、なんて言ったら、お客様はそそられてくれるかしら???」

「とにかく、みんなで**何かモノがもらえそうな感じを演出**しましょう！」

そして、最終的に決まったのが、「春のダブルチャンス・キャンペーン」でした。

スプリングを「春」と言い換えることで、すぐにイメージしやすくなります。

そして、当然、「ダブルチャンス」とくれば、何かいいことが2つ重なってやってくる、
そんなワクワク感があります。

雰囲気とカタカナ、聞いたときのリズムや響きもいいんじゃないですか？

結果は歴然でした。

名乗り、相手を確認した直後に、

「このたび、春のダブルチャンス・キャンペーンが始まりましたので、そのご連絡でお電話させていただきました！」

このひと言で、お客様は、「何？　何？」という気持ちをもって、そのまま私たちの話に耳をかたむけてくださるようになりました。

無事、私たちは多数のアポイントにつなげることができ、その月の売上目標を達成できたことは言うまでもありません。

レッスン☞

そそられない電話は、ただの自己満足！
量をこなしても無駄

「お時間よろしいですか？」は命取り スチュワーデスには学べない！

あまり人前で言うことでもないのですが、自宅にいる時、私はほとんど電話を取りません。で、めずらしくうっかり書斎の電話に出てしまうと……。

あ～、失敗。こんな電話取らなきゃよかった……。そんな思いばかりしてしまうのです。数回のコール音のあと、ためらいがちに受話器を取った私……。

私　「……はい……」（家なので、テンションが高いわけでもなく、弱った声で）

担当A　「（声も高らかに）吉野様のお宅でしょうか？　わたくし、カード会社××の、○○事業本部の担当△△と申します。お忙しいところ、誠に申し訳ございません。このたびは吉野様に、新しくスタートいたしますサービス、××のご案内でお電話をさせていただきました。このサービスは、…………なものなのです。**ただいま2、3分、お電話でご案内してもよろしいでしょうか？**」

私　「あ～、今、ちょっと、その2、3分がないんですよね～。またにしてもらえますかぁ」

ガチャ……。

電話を切るうまいタイミングを与えてもらって、ほっとして切る私。

きっと何かのスクリプト（台本）を見て、電話をかけているのでしょう。

相手に切られてしまう、悪いお手本みたいな電話ですね。

でも、こういう電話、結構世の中多いんじゃないかなぁ？　実際に、私のグループでも、同様の失敗をしてしまったことが過去にありました。

「え〜、どうしちゃったの！　この数字⁉　大事な今月最後の週なのに……プレゼンの数がこんなに少ないなんて。みんな本当に動いてるの？　アポ取りしてるの？」

前の週の活動報告を見て、つい私は叫んでしまいました。

そこに並んだプレゼンの数があまりに少なく、愕然としてしまったからです。

私は、成果や契約件数に対して目くじらをたてるマネジャーではありません。

だって、そんなことをすれば、元は主婦だった営業のみなさんにとって過度なプレッシャーとなり、萎縮させてしまうから。

が、そのぶん、活動の数、つまりはアポ取りの量や、プレゼンの数に関しては徹底的にこだわることにしているのです。言ってみれば、プロセスマネジメントです。

そこにきて、このプレゼンの数の少なさ……！

これは営業全員にとっての大ピンチですっ！

メンバーも真っ青です。そのうち1人が言いました。

「マネジャー……たいへんなんです！　私たち、全然アポが取れなくなってしまったんです。ヤル気もあるし、絶対に今月も数字を上げたいのに……。アポが取れないから、プレゼンに行きたくても、行けないんです！」

「えっ、どういうこと？　いつもと同じようにやっているんですよねぇ、アポ取りは。以前から練習してきた通りに……」

「それが……」

みんなの話を聞いて、やっと私は事の全貌が理解できました。

それは、ある2週間前の出来事が発端でした。

私たちは、お客様にもっと喜んでいただける、営業としての振る舞いを習得するために、某航空会社が主催するマナー研修を受けてきたのでした。

そのマナー研修では、元スチュワーデスの指導をしていたという40歳くらいの上品な女性たちが、立ち居振る舞いから電話の基本的応対まで、懇切丁寧に教えてくれます。

自分たちの姿をビデオに撮って、見て、自己評価したり、電話の声を録音したり、講師によりアドバイスを受けたり、非常に建設的で充実した内容でした。

が、そこで講師によってアドバイスされたひと言によって、みんなはパタリとアポが取れなくなってしまったのでした。

講師はこう言いました。

「みなさん、電話をかける時には、最初に、今、少しお時間よろしいですか？　って聞くのがマナーなんじゃないですか？　それを聞かずにいきなり本題に入るなんて、言語道断です！　相手にとって、今、お話しすることが可能な時間であるかどうかを確認してから話す、もし、今がダメだったら、またあらためさせていただく、それが電話をかける場合の基本です」と。

確かに間違っていません。もっともです。私もそう思います。

が、結果として、このひと言によって、営業の私たちはほとんどアポが取れなくなってしまったのでした。

実際には、こんな感じでした。

お客様が電話に出られると、こちらは丁寧に名乗り、相手を確認します。その後、

「今、少しお時間よろしいですか？」

「……えっ、今はちょっとぉ……。またにしてください」と、お客様。

そう言われれば、それ以上は話すことはできません。

「では、また、お電話させていただきます。次かける時は、午前か午後、もしくは夕方、いつがよろしいですか?」

せいぜい、つっこんでこのくらいです。

で、結局、その指定された時間帯にかけると……。

かけてもかけても、お客様は出ていらっしゃらない……。

もしくは、つながったとしても、またしても「今、少々お時間……?」「今はちょっと……」の嵐なのです。

これが先週、みんなが全然アポが取れず、プレゼンができなかった理由でした。

どんなにすばらしいプレゼンができても、アポが取れなければ宝の持ち腐れ、です。

きちんとコンスタントに、確実にアポが取れることが、営業としては何よりも優先されます。

「元のアポ取りに戻しましょう!」

私はみんなに言い渡しました。

そして、「今、少々……」を開口一番に尋ねなくなったみんなは、また元のように、しっかりアポが取れ、十分な量のプレゼンができ、成果の出せる営業に戻ったのでした。

1つ言えることは、**まだ、相手の関心、興味を引きつけていない最初の場面で、「今、少々お時間？」は命取りだ、**ということです。

最初の30秒で、グッと引きつけたあとに、「あと1、2分お話をしていてもよろしいですか？」と聞くことによって、失礼もなく解決するでしょう。

レッスン

「今、少々お時間よろしいですか？」
最初に聞くのは命取り！

だったら話法　あなたも今日から売れっ子営業マン！

その時、私は悩んでいました。まだ入社して3ヶ月目のことです。

「クリスマス・キャンペーンは、ダブルス戦よ！」

そんな掛け声で始まった12月度のミーティングでした。

「普段の月、4件売る人は、12月は8件ね！　5件の人は10件、10件の人は20件、いつもの倍、売る！　それができてしまうのが12月なんです！」

へぇ～、ダブルス戦って、2人一組じゃなくって、みんなで倍やるってことかぁ、面白いこと言うなぁ。

後ろのほうの席に座り、前で大きな声を出すリーダーを眺めて、私はのんびり聞いていました。

それを見透かしたかのように、

「新人も同様です！　新人は11月の倍です。わかったわね。すぐに行動してください！

手帳をアポで真っ黒にして、12月をスタートしましょう！」

私は、あわててしゃんと座りなおし、自分のすべきことに目を向けたのでした。

そうだ！　12月、普段の倍の結果を出すためには、倍のアポを取ることから始めなくっちゃ！　まず午前、午後と、アポでいっぱいにすることだ……。

12月は、憧れのU先輩目指して、がんばるぞ～！

意を決して、私も電話かけをスタートしました。

「いついつ、おうかがいしてもよろしいでしょうか？」

と聞く私に対して、

「あ～、12月は忙しいんで、年明けにしてください」

お客様のお返事はなんと、こればっかり……。30件くらいあったリストは、全部同様の断り文句で一気に玉砕してしまいました。やばい……どうしよう。

ふと、テレビに目をやりました。

そこには、キラキラ、街の楽しそうなイルミネーションが映し出されています。

街行く人々も……。

「みんなクリスマスなんだ……、楽しそうだなぁ～」

次に映し出されたのは、今年の風邪やインフルエンザの流行でした。

『今年の風邪はたちが悪いから、気をつけて……』

毎年繰り返されるその言葉を、今年もまたキャスターが伝えています。

テレビの中の街の風景を見ていました。が、私がアポを取ろうとしているような、赤ちゃんづれのお母さんたちは、そこには見えません。

そうだ！

こんな寒い冬の日に、小さい赤ちゃんをかかえたお母さんたちが、ブラブラ街に出ているわけがない！　風邪でもひかせたらたいへんだから。

みんな本当は家にいるはず。12月は忙しいなんて、本当はそんなことない！

それはきっと、逃げ口上だ！　真に受けたら馬鹿だ。

12月はきっと、ご主人たちは忘年会や年末の仕事納めで忙しくて、夜も遅いだろうから、赤ちゃんのママたちは、さみしくしていらっしゃるに違いない！　この私がアポを取って、行ってあげなくては！

妙な使命感がわいてきました。どうしても、何がなんでも、明日の午前のアポを埋めたい！　その一心で私は電話に手を伸ばしました。

さっき電話をかけても出なかったお宅に、再チャレンジです！

「クリスマス・キャンペーンで……。今度そちらの地区は……明日の午前**だったら**、まだご予約できますが！」

「え～、明日ですか？」

「はい！　明日の午前**しか**、もうあいてないんです！」

私は捨て身になって叫びました。

「明日しかないんですね。じゃぁ……、明日にしてください……」

やった～！

言い方をちょっと変えただけで、アポが取れた瞬間でした。

なんなのだろう？　この「**だったら**」の魔法！

なんとしても、明日の午前にアポを入れたい！　という気持ちが、私にこの言葉を言わせたのでした。

「〜〜だったら、まだ取れる」

「〜〜しか、取れない」

このように、条件を限定することは、**こちらの価値を高め、逆に、相手を吸引することにつながる**のだ、そんなことに気づいた大事な一件でした。

次からは、ずっとこの「**だったら話法**」にこだわり続けました。

本当は、手帳はまだまだ真っ白なんですが……。

「〜〜**だったら**、まだご予約取れるんです！　〜〜**しか**、もう無理です」

この方法で、お客様も、「じゃぁ、〜〜だったら……」ということで、ご都合をこちらに合わせてくださる形でどんどん予約がうまっていったのでした。

お客様は、どんな営業に来てもらいたいでしょうか？

売れてて、人気で、予定がぎっしりいっぱいの営業？

それとも、売れなくて、暇で、困って、あせっている営業？

答えは、明確に前者ですよね。

自分が売れてる営業で、人気もので、アポがいっぱい、ひっぱりだこの営業であることを、この「だったら」という言葉1つで演出できるのです！

「だったら」という言葉から、お客様は、私たちのことを売れてる営業であると推測し、こんなふうに想像を働かせるのです。

> 売れてる営業は、たくさんお客様がいるから契約にも事欠かない。
> ↓
> 月末になってもあせることはない。
> ↓
> もしも、説明を受けて、気に入らなくて断ったとしても、
> それ以上しつこくお願いしてきたり、すがってくることもないはず！

また、こういうふうにも考えます。

売れてる営業は、たくさんプレゼンをして、
たくさんお客様とやりとりしている。
↓
商品知識が豊富。
↓
せっかく説明に来てもらうのだったら、
絶対に商品知識が豊富なほうがいい！

そして、最終的には、長い目でつきあっていけるか、というところまでを考えるものなのです。

説明を受けて商品を買った。
↓
売れてる営業だったら仕事を簡単にはやめない。
↓

買った後もず～～っと面倒を見てくれる！

こんなすばらしい3つの売れてる営業の資質を、「だったら」という言葉1つで言いあらわすことができるのです！　これは、使わない手はありません。

世の中は、長いものに巻かれる仕組みでなりたっているのです。売れてる営業がもっと売れ、売れない営業はほされていく。残酷なこの仕組みを知ったからには、自分が俄然、**売れてる営業であることを演出することが先決**だったのです！

レッスン

「だったら」1つで、今日からあなたもトップセールス！

超売れっ子営業は失礼ですか？

さて、この話をすると必ずいただく反論があります。

それは、「お客様に失礼なんじゃないか？」というもの。

「いついつだったら行ける、なんて失礼なんじゃないですか？　営業たるもの、いつでも飛んでいく、いつでも予定を合わせます、っていうのが筋なんじゃないですか？」と。

では、実際に失礼かどうか、検証してみましょう。

テレビで取材された人気の旅館があるとします。

「一度は行ってみたいよねぇ〜」ということで、思い切って電話をしてみます。

「いついつ、ご予約取れますか？」

「申し訳ございません。その日はすでに満室でして……もしよろしければ、○日×曜日だったら、今のところ、ご予約をお取りすることができるのですが、いかがでしょうか？」

「あっ、はい、その日だったら……じゃぁ、その日にしてください！」

ってなりますよね。失礼ですか、この旅館？

そんなことないですよね。可能な日を提示してくれていて、とても親切です。

雑誌に載っていた素敵なイタリアンレストランに行きたいとしましょう。

「土曜日の夜、大人2名で予約可能でしょうか？」

「申し訳ございません！　その日はあいにく夜はすべてうまっておりまして……。そうですねぇ、金曜日のそのお時間だったら、今のところ、まだお取りすることができますが、どういたしましょうか?」

これも、「じゃぁ、その日にしてください!」っていう言葉を誘発しますよね。

逆は怖いですよぉ。

「今週行きたいんですけど、いつだったらあいてますか?」と尋ねると、「いつでも結構です! いつでもいいから来てください。そちらのご都合のよいお時間にお席をお取りします! お待ちしております。ぜひ来てください!」ってお願いしてくるレストランがあったら、どう思いますか? なんか、この店、人気ないんだなぁ。食材が古いといけないから……。急に用事を思い出して、電話を切っちゃったりします。

これらのことからわかること。

人は、長いものに巻かれる。**人気のところにむらがる。**

うんと目上の人以外には、「だったら話法」がオススメ! 使えます。

レッスン☞ 超売れっ子営業を演出してこそアポが取れる!

2つの日時を用意！　二者択一法＋だったら話法＝応用編

営業の世界のアポ取りで以前からよく使われてきた手法の1つに、「二者択一法」というのがあります。

「いつがよろしいですか？」と聞くと、相手は選択の幅が広すぎて答えにくいのです。「いつって言われてもねぇ……」なんて返事が返ってきてしまいます。

そこで、「午前と、午後では、どちらがよろしいですか？」などと具体的に聞いていくとよい、というものです。

「じゃぁ、午後で……」とお客様が答えたのに対し、「では、2時と3時では、どちらがご都合よろしいですか？」と、さらに詳細をつめて尋ねていきます。

これは、具体的に聞けば相手が答えやすくなる、という意味では有効で、長い間愛用されてきました。

しかし！

感じるのは、これでYESが取れるお客様は、最初からある程度YESであったか、もしくは触れれば落ちる、というところまで来ていた方のみ、ということなのです。

答えてもらいやすくする、という利点はありますが、この手法にはNOだったものをYESにするほどのパワーはないのです。

そこで、この二者択一法に、「だったら話法」を合体させ、もっと強烈にパワーアップしたものを開発しました！　それが、「だったら話法・応用編」です。

実際に使ってみたところ、これなしには次からアポ取りをする気にならないほど、成果に違いがあらわれました。

人というものは、数が限られている、限定である、今しかない、これをのがすともうチャンスがない、そう感じるものに価値を見出し、執着するという傾向があることが心理学上の研究によってわかっています。

「だったら話法」が効くのは、希少性を感じさせることにより、人の興味を引き、さらにこちらの価値を高めるから、という理由があったんですね。

本当は、自分の手帳は今日も明日も全部真っ白、予定なんて全然入っていない、としますす。それでも、**ある特定の日時を2つ選んで用意しておきます。**

で、アポ取りの時には、こんなふうに言ってみてください。相手の反応がすっかり変わりますよ！

まるで、真っ黒な手帳の中から、**わずかにあいている時間帯を必死にさがすように、**

間をもたせながら、言うのです。

「え〜〜っと……今度、そちらの地区は、
○曜日の×時からと△曜日の□時から**だったら**、
今のところ、まだご予約がお取りできるのですが……
○○さんはいらっしゃいますかぁ？」

本当に、この2つの時間帯しかあいていません、あなたのリクエストに応じることはできないかもしれない、申し訳ない、といった心をこめて言ってください。

「え〜〜っと……」のところは、十分に探す間をあけてくださいね。

間があればあるほど、手帳はいっぱいであることがニュアンスとして伝わります。

さらに、この場合の「だったら」は、思いっきり心をこめて申し上げることです。

「**今のところ、まだ**」も、非常に効果的なので、はしょらないようにしてくださいね。

この言葉を入れることで、あと1時間後には、もう予約が取れないかもしれません、いっぱいになってしまいますよ、っていうことを暗にあらわすのです。

さらに、この「だったら話法・応用編」には、もう1つの深い意味があるのです。人の興味をそそるだけではなく、実は、**競争心をも刺激しているのです**。

人というものは、限定、数が限られている、ということがわかるだけでも燃えるのですが、もっと燃える瞬間があります。

それは、ここに**「他人に取られるかもしれない」という心理が加わった時**なのです。「今だったら、まだ」と聞くと、**「あなたがこの情報を得なければ、誰かほかの人がそれを得るのですよ」と言われた気持ちになる**のです。

そして、自分はチャンスをのがすかもしれない、そう感じた時に、それまでの興味がたとえそこそこであったとしても、強烈に魅力を感じてしまい、執着し、動かざるをえなくなる、ということなのです。

それは、まるで、自分の彼女に対する興味が減退し、めったなことではデートに誘わなくなっていた男性が、誰かほかの男性が彼女に言い寄っていると知った瞬間、急に取られるものかと思い、それまで以上に執着し、興味を示すようになる、というのとそっくりです。

いずれにせよ、「だったら話法・応用編」が極めて効果があるのは、整理すると3つのポイントを押さえているからです。

❶人気のある営業マン、売れてる営業マンからモノを買いたい、
という心理を刺激している。

❷希少性のあるものに興味をもち、心を動かされやすい、
という人間の本質をついている。

❸競争心を刺激されることにより、よりそれ自体に興味をもち、かつ執着する。

この「だったら話法・応用編」を、1回のアポ取りの中で2度3度言うことにより、余計に相手に伝わります。思いっきり感情移入をしてお話するのがコツです！

レッスン

「だったら」1つで3つのパワー。
人気営業マン、希少性、競争心を刺激する

よくある質問

Q どちらの日も本当に相手の都合が悪かったら？

もし、本当に相手が、２つの日時の両方とも都合が悪かったら、どうすればいいのですか？
今さっき、いついつだったら、と言った手前、後に引けないじゃないですか？

A

あなたなら、どうしますか？　答えは、簡単です。

まずは、非常に残念そうな顔（声）をして、「そうでしたかぁ、じゃぁ、難しいですよね。わかりました」と、いったん引き下がったふりをする。

このことで、「あなたは本当にチャンスをのがしてしまったんですよ」とい

うニュアンスが伝わります。

その上で、ゆっくり、**まるで好意で譲歩するように、**

「あっ！　そうだ！　この日のこの時間だったら、さっき変更が出たばかりなので、まだ、ご予約大丈夫ですよ！」

と告げるのです。

人にとっては、**手ばなした魚は大きく見えるもの**です。

また、人が好意で譲歩してくれた、と知ると、それをむげにするのも悪いという心境になり、「じゃぁ、その日だったら……」と言ってくれるものなのです。

非常に面白いことに、こちらが「だったら……」を使った場合、お客様も「その時間だったら……」と**ミラー効果もあるのが特徴**です。

「だったら」の驚きのパワー

「だったら話法」を教えて即実行していただくと、まずどんな営業マンも、いちようにアポ率が劇的に変化します。

教えたものをすぐ実行して、成果につなげていただけるのは私の喜びです。

ところが、ある時、不思議なことがありました。

「だったら話法をきちんと実行しているのに、全然アポの数が増えません！」という営業マンが、1人だけいたのです。

「おかしいわね……。ねえ、どんなふうにやっているのか、聞かせてもらえませんか？」

私は、その人のアポ取りを直接自分の耳で聞いてみることにしました。

すると！　答えはすぐにわかりました！

「○曜日の×時**だったら**」

の部分を、

「○曜日の×時**でしたら**」

と置き換えていたのです！

本人は、こうすることにより、少し丁寧な感じが出せると思っていたようです。

確かに、日本語としての正しさ、丁寧さから言うと、「でしたら」は正解でしょう。

しかし、希少性を感じさせる、という意味では、かなり力不足な言葉だったのです。

日本語の微妙さ、その言葉のもつパワーそのものに驚かされた出来事でした。

それからというもの、日本全国、関東だけではなく、関西、中部、東北など方言を使う地域にも、徹底的に「だったら！」で、通してもらっています。

○「○曜日の×時だったら」

×「○曜日の×時でしたら」

丁寧すぎるという罠

営業部にとても素敵な女性C子が入社してきました。

元スチュワーデスさんだったそうです。背もすらりと高く、当然英語も堪能です。

いつも笑顔をたやさず、物腰も上品で、好感度バッチリです！

「この人なら、売れるわ！　こんな人を採用できるなんて、本当に私ったら人にツイてる！」

私はそんなウキウキ気分でした。

頭脳明晰な彼女は、研修もすんなり短期間でクリアし、さっそく、お客様のところに行くために、アポ取りの電話を開始しました。

期待にときめく私。電話をかけ続ける彼女。

しかし、なぜか時間ばかりが経過し、1件もアポが取れません。

少しでも変化を感じた時は、こちらから声をかけることが重要です。

オフィスの電話ブースにいるC子を呼びとめました。

「どう？　どんな感じ？　うまくいきそうですか？」

「全然ダメなんです。どの方も途中で、もういいです、って電話を切られてしまうんです」

涙目になって、彼女は答えました。

まるで、人生初めての挫折……大げさにも、そんな感じでした。

成果がうまく出ないときは、プロセスに原因がある。つまり、やっていることが悪いのだ、それが私の持論です。

「わかった、C子さん。じゃぁ、どんなふうに電話をかけたのか、私がお客様役になるから、ここでやってみてよ。いっしょに練習しましょう！」

そう言い、私はC子の隣に座りました。

やっていること、行動そのものを現場検証する、これが何より大事なことです。

現場で起こっていることを確認しないで、「多分、～～が悪いのよ。多分、こうすればうまくいくわ」といきなり指示を出す人がいます。それはとても危険なことなのです。

まるで、お医者様が、患者をよく診察もしないまま、「多分、悪いのは肝臓ですね。多分、この薬を飲めばよくなりますよ」と言っているのに等しいのです。

大事なことは、まず、どこに問題があるのか、できるだけリアルに現場を再現して確認してみる、これが私のやり方でした。

「じゃぁ、やってみますね」

C子は、さっきまで電話で言っていた通りに、少し高めの裏声で話し始めました。

「お忙しいところ、誠に恐れ入ります。このたび、初めてお電話をさしあげます、わたくし○○○○株式会社の、××××（フルネーム）と申します。どうぞよろしくお願い申し上げます。

このたびは、○月○日頃に、○○様より、わたくしどもに対し、資料のご請求をいただきまして誠にありがとうございました。深く御礼申し上げます。

冊子とCDが入りました資料はお手元に届いておりますでしょうか？

そうでいらっしゃいましたか。まだ、ご確認はされてない、ということでいらっしゃいますね。そのような時にどうも失礼をいたしました。

お送りさせていただきました、資料につきまして、お電話を……」

「もういいっ。そのへんにして！」

つい、私は叫んでいました。

ここまで聞けば、もう十分でした。

電話を切ってしまう、お客様の気持ちがよ〜くわかりました。

驚いて顔をあげるC子に、私はこう説明しました。

「丁寧すぎる、ってことは、自分と相手との間に壁を作ることなんですよね」と。

おそらく、多数のいろんなお客様に接する必要のあるスチュワーデスさんたちは、お客様と自分たちとの間に壁を作る必要があるのでしょう。

むやみに侵入されないように、下準備をするために言葉で壁を築くのです。

それが丁寧すぎる、いわゆる慇懃《いんぎん》と言われる言葉遣いです。

それと相反する位置にあるのが、私たち営業なのです。

さっきまでは赤の他人であったお客様の胸に飛び込み、自分を受け入れてもらう、そして、こちらの商品やサービスに興味をもってもらう、そのためには「壁取り」が何より必要なのでした。

「壁取り」ができる電話って、いったいどういうものでしょうか？

それは、私にとっては、人間味を出すことでした。

普通の人の話し言葉で、隣の人や、以前からの親友にかけるような、愛着をもって、作り込まない自然な声で、心をこめて話しかける。

常に、相手の姿は、こちらの姿の鏡です。

こちらが構えれば、相手も構える。

こちらがリラックスすれば、相手もリラックスする。

こちらが人間味を出せば、相手も人間的に応対してくれる。

自然体の相手を引き出すには、こちらがまず作り込まずに、人間味を出した対応を心がけることだったのです。

レッスン

人間味を出して「壁取り」をする！

「打ち解ける」という本当の意味とは？

主婦だった人や、アルバイト歴の長い人を採用する場合、特に気をつけなければならないことがあります。

それは、**雑になること、下品なこと、と、気さくで人間味があることはまったく別もの**だと教えることなのです。

「です、ます調」など、基本の路線は完全に押さえることが重要です。

私はオフィスで電話をするある営業の声を聞いていて、ドキッとしたことがありました。

その人は、お客様の話に、こんな相槌を打っていたのです。

「……へぇ。そうなんだぁ。うん、わかる、わかる、その気持ち。……うん……うん……じゃぁね、こういうのってどぉかなぁ？」

あわてて、私はその人のところに飛んでいき、電話が終わるのを待って注意しました。

「こちらが、なぁなぁのだらしない話し言葉でお話しすると、お客様のほうもそれにつられて、なぁなぁになってしまうものなのよ。

アポ取りにしろ、電話営業にしろ、最終的にはお客様にご決断いただくお仕事です。最後にピシッと決断をうながすためには、まず、こちら側が、です、ます調で、最初からきちんとお話ししていくことなのです」と。

気さくさや人間味と、だらしなさを履き違えることはご法度です。

お客様への敬意という一線を引き、自分の立ち位置をわきまえた上で、人間ら

しい真心を伝えていく、それもポイントの1つなのでした。

レッスン

まずわきまえよう！

「気さくさ、人間味 ≠ 雑さ、だらしなさ」

おめでとうトーク　一気に近づく！

トップセールスの電話を観察していると、いろいろ面白い発見があります。

ある人は、必ず電話に出たお客様に対し、明るく高らかに開口一番、

「こんにちはぁ〜！」

と言っているのでした。

それをあとで指摘してみると、確かに、本人から、

「うん、そうなの。わざとやってるの。こんにちはぁ〜！　って、最初にひと言言うだけで、アポも取れるし、フォローの電話もとってもスムーズにいくのよ！」

との言葉をいただきました。

どういうことでしょうか？　よくよく考えてみました。

「おはようございま〜す！」

「こんにちはぁ〜！」

「こんばんはぁ〜！」

そんなふうに明確に、堂々と電話で挨拶をすることって、親しい人じゃないとできないことです。また、邪気がない、悪気のない人をイメージさせます。

後ろめたさや、言葉の裏にある思惑……そんなものとは無縁の明快さや、人柄の良さをかもし出す言葉なのです。

きっとこのセンスのよいトップセールスは、体験から自然とそれに気づいていたのでしょう。高らかに挨拶の言葉を発することで、自分のことを、

『あなたとはすでに親しい間柄なのよ、私にはへんな思惑や、言葉の裏はないんです。明快で、単純、そして善意に満ちた人柄です！』

そんなふうにティーアップしていたのだと思います。

私もこれを応用してみました。

「おめでとうございます！」はどうでしょうか？

電話で言うと、ちょっと間抜けな感じがしますが、とってもかわいい言葉です。いろんな場面に使えます。

相手の良い報告を聞いた瞬間、「おめでとうございます！」。赤ちゃんが生まれたと聞いて、「おめでとうございます！」。これももちろんＯＫですね。

お正月にも使えるでしょうか？　実は、これを駆使することによって、アポの量を激増させたことがありました。年明け早々の電話、それもアポ取りとなれば、営業にとっては敷居が高く、腰が引けるのも当然です。

「電話はやっぱり、５日を過ぎてからにしようかなぁ、８日を過ぎてからにしようかなぁ……」

そんなことを思ううちに、あっという間に15日を過ぎ、１月も月末に突入間違いなしです。

そこで、こんなふうにやってみました。

お正月の三が日も過ぎ、**１月４日の午前に高らかに、**

「あけましておめでとうございます！

昨年はどうもありがとうございました。

今年もどうぞよろしくお願いいたします！」

と、アポ取りの電話を入れたのでした。

まだ1度も会ったことのないお客様、人間関係のできていない方に対して、です。

当然、お客様は、ちょっと引きました。だって、「今年も……」って言ったって、去年だって、何もお世話なんてしてないですもん。

でも、引きながら、クスッ、と笑ったのです。

そして、そのままの勢いで、にこやかなお客様に対し、スムーズにアポが取れました。

なんだか憎めない、悪い人じゃない、この人……。

単純で、元気のいい、善人……。

そんな印象だったのでしょうか。

究極の「壁取り」、コミュニケーションの基本とは、**まず最初に元気に挨拶**、これに尽きるのかもしれません。

レッスン

最高の「壁取り」は
まずは元気に挨拶！

25分の法則 誰も電話に出ない!? 恐怖のナンバーディスプレイ突破法

「困りました！　マネジャー、誰も電話に出ないのです……」

ある営業が報告してきました。私たちは一般の個人宅に電話をかけ、アポを取って訪問する、というスタイルで仕事をしていました。

人が電話に出てくれなければ、当然、アポも取れず、プレゼンにうかがうことができません。唖然とした私は、聞き返しました。

「理由は？　時間帯が悪いのかしら。それとも……」

「マネジャー、理由は間違いなく、ナンバーディスプレイのせいです！　きっとお客様は、家にいらっしゃいます。で、電話器の向こうで、何だろう？　この電話番号？　誰なんだろう？　って番号をじっと見たまま、取らないんです」

は、はぁ～ん、お客様は、知らない電話番号からの電話は取らない、というわけなのか……。これは困った、すぐに対策を！　しかし、良い知恵が浮かびません。

「非通知でかけるのはもっとよくないわよね。非通知拒否にしていらっしゃる場合も多いでしょうし……」

この問題はしばらく棚上げされていました。

そんなある日、私はある保険の営業マンと打ち合わせをしていました。

営業マンの携帯に電話がかかってきました。マナーモードですが、鳴っていることはこちらからもわかります。

営業マンは電話を無視して、会話を続けています。

「よかったら、出てくださいね。ご遠慮なく」

そう言う私に、営業マンは笑顔でこう答えました。

「なぁ〜に。本当に用があったらまたかけてきますよ」

ふ〜ん、確かにそんなものかもしれないな……。

20分ほど会話を続けるうちに、また彼の携帯が鳴り始めました。

すると、今度はさっきとはうってかわって即座に携帯に手を伸ばし、「ちょっと失礼！中断してすいません」と彼は電話に出たのでした。

しばらくして戻ってきた彼は、謝りながらこう言いました。

「1回電話が鳴った時点では取らないことにしてるんですよ。いちいち取ってたらきりがない。留守番電話だってついてるんだから。でも、2回かかってきた場合は、だいたいが緊急の用か、本当に僕と話したい場合なんですね。だから、その時はすぐに取ることにしているんです」と。

これだっ‼

私は、ひざを打って、立ち上がりました。

人は、1回目の電話では、「誰だろう？　何の用だろう？」と思いながら、表示された番号を見つめるだけで、絶対に取ることはない。

が、どうやら、30分以内に2回、同じ番号から電話がかかってきた場合には、「何か大事な用事があるに違いない。本当に私と話す必要がある人みたいだ」という心理が働き、ようやく電話に手を伸ばすのです！

「30分以内に2回目の電話を！」

すぐさま私は、組織のトップセールスに連絡をしました。

そして、生まれたのが、この「**25分の法則**」でした。

1回きり電話をかけ、そのまま放置し、半日後や翌日にまた電話する、という従来型の手法を即、とりやめました。

1回目の電話をかけ、その25分後に2回目の電話をかける。

この手法を用いることにより、大きな変化があらわれました。

1回目に出なかったお客様のうち、25分後の2回目の電話に出た人の割合は、なんと40%にのぼったのです。

つまり、40%の人は、1回目の電話では、「なんだろう?」と思って、番号を見つめているだけなのです。2回目の電話があって初めて、出てくださる。

残り60%のお宅は、本当に留守であることが推測されます。

在宅率の低下が言われるようになって久しいですが、今でも、家にいる人の割合は、ある一定以上はあるでしょう。ちょっとの工夫で、電話でのコミュニケーションは可能なのです。

この手法は、相手が企業の担当者である場合や、もしくは、携帯電話にかける場合にも応用できます。

なぜなら、企業で働く人々は、たいへん忙しい日々を過ごしています。

どこかからかかってきた電話に対し、「今、いない、って言って!」と居留守を使うことも少なくないでしょう。そんな時に、やはり同様に25分後、電話をしてはどうでしょうか? 自分に対し、何かどうしても、今じゃなければいけない用事があるのでは? という意識から、2回目は自然と出てくださるものなのです。

もっと言えば、この2回目の電話に出なければ、3回目がかかってくるかも、と自動的に想像してしまい、それを防ぐために2回目の電話には確実に出てくださる、とも言えるでしょう。

いろいろ試した結果、25分が最適でした。

30分以上が経過すると、相手の状況が変わってしまいます。外出だってするでしょう。でも、30分以内であれば、そう大きな変化がないのです。

さて、この手法には、ある禁じ手があります。

それには、あるあせった営業の失敗例をお話ししておかなければなりません。

私からこの話を聞き、「いいことを聞いた!」と思った彼は即、実行にうつしました。

どうしても、今日、そのお客様と連絡を取りたかったのです。

で、彼のやったこととは……。

1回目の電話をかけ、相手が出ないことを確認し、すぐまた数分後に2回目の電話をかけたのでした。2回目も出てこられず、その数分後に3回目の電話を……。何度かけても、相手は出てくださいませんでした。

なぜでしょうか?

相手はこういう気持ちだったのです。

1回目はまず見逃したとして、2回目の電話がすぐにかかってきた場合は、なんだか『居留守を見透かされた』ような気分になるのですね。

「僕がいるのに出ない、ってことが、どうしてわかったんだろう……」と。

そして、相手も意固地になります。

すぐに3回目の電話がかかってきた場合は、さらに怖くなり、「いないったら、いないんだよっ！」とでも言うがごとく、意地でも電話に出ない、ということが起こるのでした。

相手にどのような行動をとらせるのか？

それはすべて、**こちらのもっていきかた次第、相手の気持ちを考えながら、行動すること**、そんなことを教えてくれる一例でした。

レッスン

「25分の法則」で
普段電話に出ない人と話そう！

困った！　こんな時、どうすればいい？

すんでのところで押し問答に

お断り話法　アポ取りの究極の殺し文句

本当は興味のあるお客様であることはわかっているのです。

あとすんでのところで、アポが取れそうなのに、なんだか押し問答のぬかるみに……。

「いついつだったら、今のところご予約がお取りできるんですが、いらっしゃいますか？」

「う～ん、でも、ねぇ。来てもらってもねぇ……」

「〇日は、いらっしゃいますか？」

「……その日は、いるにはいるんだけれど、どうしようかなぁ……」

こんなお客様を、「明日はどうですか？」「あさっては、どうですか？」「来週は？？？」

と、スケジュールで追い詰めても、らちがあかないどころか、逃げられる一方でしょう。

相手も実は興味がある以上、断るに断れずに、にっちもさっちもいかなくなって苦しんでいるのです。でも、興味がある方だからこそ、きちんとしたアポを取って、上質なプレゼンをしてあげたいものです。


私は、長年、なぜ、興味のある人にアポが取れないのか、研究してきました。

最終的に1つの結論に達しました。それはこのようなお客様の心理です。

「もし、説明を受けて、断れなくなったら、いやだなぁ」

究極、この1つに尽きるのでした！

興味があるからこそ、説明、プレゼンを受けてみたい気持ちは山ほどあります。

しかし、説明、プレゼンを受ける＝契約、であっては困るわけです。

万一、気に入らなかったら、断れるのだろうか？

断る権利は保証されているのだろうか？

追い詰められて、断れなくなり、不本意な契約をする羽目におちいっては困る。

この恐怖心が、『だったら最初から説明、プレゼンを受けるのは、やめておこう』という心理を生むことに気づいたのでした。

人によっては、「説明を聞いても、多分、うちは買えないと思うよ」と事前に言っていた人もいました。「無理に書かされたりしない？」「本当に説明を聞くだけだよ」そんなことを言う人も多くいました。

でも、結果から言って、そんなことを言う人に限って、説明を聞きさえすれば、まじめに考えて契約してくださったものでした。

情報提供が行き届き、本当にご興味のある方にはきちんとした形でプレゼンし、説明を受けていただくに限ります。

そのためには、逃げ腰ではない確実なアポを取りましょう。

で、どうすべきか？

相手に、たとえ説明を聞いても断る権利があることを、明確に示すことです。

これ以上の方法はありません。

言葉としては、このように言っていました。

「もしご覧になっても、いいな、と思わなければ、どうぞご遠慮なく、お断りくださいね。お始めになるも、ならないも、そちら様のご自由ですのでね。よろしくお願いいたします」

実際には、この言葉を3、4回繰り返して、アポが取れることが多々ありました。

逆に言えば、これを繰り返さなければ取れないアポばかりだったとも言えましょう。

が、このような言葉に納得して、「じゃぁ……」と重い腰を上げるようにアポが取れたお客様は、みなさん、真剣に考えてくださる良いお客様でした。

きちんと、私たちがプレゼンし、ご説明したあかつきには、その日のうちに堅い契約をくださったことがほとんどでした。

きっとまじめな方なんですね。説明を聞いて断っては申し訳が立たない、そんな律儀なお気持ちが、「説明を受けてもねぇ……買わなくてもいいんですか？」と躊躇させているのでしょう。

こんな方にこそ、ぜひ、上質なプレゼンをしてさし上げたいものです。


反対に、これとは逆のケースには、要注意です！

やたら調子のいいお客様、ってことです。アポを取ろうとすると、「はいはい、いいですよぉ～、お待ちしてま～す。」みたいな方。

なぜ、こんなに気楽にアポが取れるんでしょうねぇ。

その理由は、このような方というのは、実は、いざとなったら断る自信のある方、ずぶとさのある方だ、ということです。営業の丁寧で時間をかけた説明を聞いても、それをふりほどいてＮＯが言える神経の持ち主であったりもします。

だから、「どんと来い、営業！」みたいな気持ちで、簡単にアポを受け入れてしまうのです。

人というものは、**誰かに何かをしてもらったら、必ずちょっとはお返しをしたい、**そんな気持ちをもち合わせているものです。「返報性の法則」とも言います。

誠実でまじめな方ほど、そういうお心をおもちです。熱意をこめた、ハートのあるプレゼンでお迎えしたいものです。

レッスン 究極のアポ取り「お断り話法」

お客様が黙ってしまい…

→ こころざしトーク　もう1度求めているものに目を向けさせる

お客様も電話を切らずに聞いている、ということは、こちらの提供するサービスや商品に対し、少なからず関心をもっていらっしゃる、ということです。

では、なぜ、ひと言も言葉を発せず、黙って考え込んでしまったのでしょうか？

それは、**お客様の頭の中を、ぐるぐるいろんな考えが、どうどうめぐりしているから**にほかなりません。

逆の立場にたってみれば、わかりますよね。

即答で、アポにYESを言えない理由が。

「どんな営業が来るんだろう……」

「いくらするんだろう……」

「はたしてそれはうちにとって、本当に必要なものなんだろうか……」

営業、お金、契約、営業、お金、契約……。

だいたい、こんな文字がお客様の頭の中で、ぐるぐる回っている時、お客様は躊躇して、黙り込んでしまうものなのです。

さて、こんな場合には、どうしたらいいのか？

これしかありません！ **志《こころざし》を高くもたせてあげること！**

どういうことでしょうか？

そもそも人が、私たちの商品やサービスに興味をもったということは、ある1つの理由があるのです。

それは、人も企業もみんな、かなえたい未来、実現したい将来像があり、私たちが提供するものが、その夢や未来像の実現のための手段だ、と知ってしまっているからです。

躊躇するのは、この夢や得たい未来像から、頭が離れ、現実の世界のお金や契約といったものに、視野をおとした時です。

ですから、**私たちがするべきことは、もともとお客様が願っていらっしゃった、夢や得たい未来像にもう一度、目を向けさせてあげるべきトーク**が必要なのです。

たとえば、企業が営業研修の発注を検討していて、そのプレゼンを受けるかどうか悩んでいる担当者がいらっしゃったら、こんなふうに。

「○○さん、先日おっしゃってたように、やはり今期は△△部署の売上増大が、御社の伸びを決めますよね。その後のフォローシステムは完全ですから、あとは△△部の営業力が強化できれば、売上もそれに伴いますよね……」

また、個人宅で、教材を検討している方がいらっしゃったら、

「最近、急にお子さんの反応がよくなってきたんじゃないですか？　今はなんでも吸収し

ている時期です。ほっとくのはもったいないですね。……」

など。

私は、これを常に**30秒**で語っていました。

つまり、営業マン、お金、契約、という目先のことから、本当に相手が求めているものに、もう一度目を向けさせてあげるトークが必要なのです。

30秒以上になると、はっきり言って、うざいです。人は、他人に指摘されたくありませんから。**気づきなおす程度で十分**です。

よって、

時間にすると30秒。
文字にした場合は160文字、約4行。

といったところでしょうか。

レッスン

悩みの迷宮に入ったら、
本心から求めるものに目を向けさせてあげる

微妙な5つのスキル

スキル1　サンプル、資料を見たかどうかは絶対聞かない！

以前こんなことがありました。

私たちの商品を買ったお客様が、社員として入社してきたのです。

ありがたいことです。

商品を使って、良さをよく理解されているでしょうから、きっと彼女は売れる営業に育っていくでしょう。

せっかくなので、どういういきさつで、どういう心境で、うちの商品を買ったのか、聞いてみました。

「まず資料請求をしたんです。すると、ある営業から電話がかかってきて、サンプルはもう見ましたか？　聞きましたか？　ってたずねられたんです。で、忙しくってまだ見ていなかったので、正直にそう言いました。すると、こいつは見込みがない、って思われたらしくって、もう二度と電話がかかってきませんでした」

「え〜、そんなことがあったんですか？　申し訳なかったですね」

「いえいえ……で、その後、1ヶ月くらいしてから、サンプルをあけてみたんです。そうしたら、とっても素敵なパンフレットとCDが入っていて、ひと目で気に入り、ファンになりました。で、それから1ヶ月して、自分から会社に電話して、欲しいから来てください、って営業を呼んだんです……」

この話から何がわかるでしょうか？

最初に電話をかけた営業は、失敗しています。

「サンプルを見たか？　聞いたか？」とたずねたばかりに、「見ていない」という返事をもらいました。それで、このお客様のことを、「見込みがない」と判断してしまったわけです。

で、実際、どうだったのでしょうか？

サンプルをまだ見ていない人は、見込みがないのでしょうか？

そんなことはないのが、この話からわかります。

サンプルをすぐには見ていないこの方は、最終的には自らすすんで買っているわけですから、偉大なる見込み客です。

見込みがある、本当は欲しがっている人であっても、送られてきたサンプルや資料をまだ見てないことも多い、この事実を私たちは受けとめなければなりません。

つまり、「サンプルや資料を見ましたか?」この質問が余計なのです。

理由は、3つ!

❶「まだ見ていません」と言われると、それだけで二の句が告げなくなってしまい、話題が展開できず、「じゃぁ、見ておいてください」と、せっかくつながった電話を切るしかなくなってしまうから。

❷「見ていない」と言われれば、それだけで、たとえ見込みのある人であっても、ない、と判断してしまい、1人の貴重な見込み客をうっかり見すごしてしまうから。

❸本当は見ていないのに、それを自分で言うのが恥ずかしいお客様もいらっしゃるのです。つまり、見たふりをしたいのですね。「見たけど、あれ、ダメだったよ」など不必要なNOを言わせてしまう可能性があるから。

なぜ、どういう意図で「サンプルや資料を見ましたか?」という質問をしなければならないのでしょうか? それと見込みが連動していないのであれば、まったく意味ありませんね。

同様に、「サンプルはもう届きましたか？」と真剣に聞く、困った営業もいます。日本の郵便、宅配便事情は、世界№1です。あなたが心配しなくっても、かなりの確率で、郵便局や宅配業者がサンプルくらい届けてくれてます、ってば。

レッスン　意味のない質問はしない！　即、本題へ！

スキル2　「おうかがいしてもよろしいですか？」は禁句！

人の脳というものは、あまり一度にたくさんのことを処理できないものなんです。

特に、いきなり質問された場合には、その傾向は顕著です。

その質問の意図を読むより先に、質問に答えることに集中してしまうのです。

私は、アポ取りの電話では絶対に、

「○月○日はいらっしゃいますか？」

と聞くようにしています。

というのも、「いらっしゃいますか？」と聞かれると、**人は単純に、自分がその時間にいるか、いないか？　ということを考え出してしまいます。**

そして、いる、と思ったら、つい「います」と返事をしてしまうからなのです。

「○月○日、いらっしゃいますか？」

「はい、います」

これは、アポ取りの電話では、ＹＥＳの返事をしたことになります。

おっと、気づいたらアポを承諾してた、そんな誘導尋問的質問でもあるのです。

では、これを「○月○日、おうかがいしてもよろしいですか？」とたずねたら、どうなるでしょうか？

人の頭は、その時間に訪問を受け入れるべきか、否か？　ということに回り始めてしまいます。

そうするとストレートに、訪問やプレゼンに対する可否の判断をくだすわけです。

はっきり言って、このパターンはNOを誘発しやすいのです。
「○月○日、いかがでしょうか？」も同様にNGです。
いかがでしょうか？　と聞かれれば、当然、YESかNOかを聞かれたわけですから、これもよほど、その訪問やプレゼンを受け入れたい方にしか、アポは取れないでしょう。

○「○月○日は、いらっしゃいますか？」

×「○月○日に、おうかがいしてもよろしいですか？」

×「○月○日は、いかがでしょうか？」

アポ取りのコツは、「いらっしゃいますか？」この言葉に尽きますね。

レッスン

「いらっしゃいますか？」で
YESを大量誘発！

スキル3 あなたの都合のよい時間にかける

電話営業やアポ取りに関して、私がたくさん受ける質問は、これです。

「何時に電話するのが、一番効率いいですか？」

きっとこの業種だとこの時間、このタイプのお客様は、この時間……などの答えを期待されているのでしょう。

これに関して私は、いつも、

「朝8時半から夜8時45分まで、**あなたにとっての都合のよい時間が、もっとも効率のよい時間**」

と、答えてきました。

「はぁ？　自分にとっての都合のよい時間が、相手にとってもよい時間？」

だいたいが口をあんぐりあけて、再度質問を投げかけてきます。

じゃぁ、お聞きしますが、電話の向こう側の、姿の見えない相手にとっての都合のよい時間や機嫌のいい時間って、いったいどうやって見極めたらいいのでしょうか？

そんな方法ありません。

ということは、**電話というのは自分にとって都合のよい時間にかけるしかない**

のです。

ただし、どうしても、**つながりやすい時間帯とそうでない時間帯があります。**

企業相手であれば、午前中はかなり席についていらっしゃることが多く、つかまえやすいもの。席にいる時は、忙しい時ですが、席にいない人をつかまえて話すことはできませんので、開口一番に謝る「お忙しい時にすいません～ん！」を実行し、怒りの矛先をそらすことです。

午後になると、みなさん外出してしまって、めったなことではつながりませんね。

逆に夕方になると、そうした人たちも帰社している場合が多いです。

ただし、心理的には、いつがいいか研究したところ、午前中というのは、人目もあってピリピリしています。**人が一番、油断をし、なんでも受け入れYESを言いやすいのは、なんと言っても夕方5時以降でしょう。**

なんとなく気分転換に、見知らぬ人からの電話にもつきあってしまいたくなる時間帯なんですね。

実際、私は生命保険の営業をしていた頃、この夕方訪問する、いわゆる「夕訪」を得意としていました。

「人はみんな、仕事で疲れているから、私みたいな女の子としゃべりたがっているに違いない！」

そう信じて疑わなかったのでした。

結果もそれを証明するがごとく、夕方会った人ほど簡単に保険に入ってくださいました。

電話をかけるのにもっともよい時間帯とは、人々の緊張の糸がほぐれている時間帯なのです。

一般のご家庭にかける場合はどうでしょうか？

朝は、11時まではかなりの確率でつながります。

なぜなら、それより早く家を出ていること自体、家庭にいる人にとっては計画的でなければならず、難しいことなのです。

特に、**朝8時半頃は最適**ですね。そんな時間にかけてくるのは宅配業者くらいですから、「あら？　何か今日うちにお届けモノ？」って感覚で、人がポンと出てきてくれます。

また、夕方5時以降も、いいですね。

夕方忙しい時に、って言う人もいるでしょうが、そんな時こそ、人は電話に出てくれます。自分が忙しいからこそ、人も忙しいと想像し、「何か用事かな？」という心理が働いて出てきてくれるのです。

そして、究極のグッドタイミングは、**土曜日の午後4時から6時**、そして、**日曜日の夜6時から8時**です！

なぜなら、**こんな時間帯に営業が電話をしてくるとは、とうてい思えない**からです。

人々は、おっとり、ほけほけ、家でくつろいでいます。思考も停止しています。その時間帯をねらい、**こちらもおっとりとした声でかけましょう**ね。早口は禁物です。声のペースも相手に合わせてこそ、プロなのです。

レッスン☞ 相手の声のペースに合わせれば、電話はいつかけてもOK！

スキル4 最後にグサリと言い残す！ 漬物石トーク

どんなに工夫を重ねても、1回の電話でアポが取れることは少なくなりました。

逆に言えば、2回目、3回目、いや4回目、もしくは5回目の電話で取れるアポが大半だ、というわけです。

だったら、最初から、そのつもりで用意しておけばいいのです。

1回目の電話でアポが取れなかったら、2回目の電話につなげるように、2回目で無理だったら、3回目に……といった具合に。

具体的にはどうすることでしょうか?

それは、**電話を切る直前に、もっとも印象深く、相手がドキッとして忘れられないひと言を残しておくこと**です。

電話を切ってからも、その言葉が頭の中をぐるぐる回っているような。

心理学的には、人というのは、**もっとも刺激的であったことと、最後に起こったことを記憶しているもの**なんですって。これを「ピーク・ラストの法則」と言います。

ピークとラストのみ印象に残る、というわけです。

それならかえって、私たちには好都合です。

たとえアポが取れなかろうと、まるで漬物石のように、**最後にずしりと印象に残り、相手が行動せざるをえなくなるようなひと言を残して電話を切りましょう。**

私は幼児英語教材の営業でしたから、こんなふうにやってました。

「お子さんにもし、英語を始めさせてあげるのであれば、○歳までが一番いいと言われているんですよ。では、失礼いたします」

それまで何をどんなに話してきても、人間の脳というものは最後を記憶しているというからには、**数字を加えた言葉を残したい、**というわけです。

この電話を受けたお客様は、興味深かったですよ。

だって、私が2度目の電話をした時、こうおっしゃったんですから。

「子供に英語を始めさせてあげるのであれば、○歳までが一番いいんですよね……」と。

そうなのです！　私の言葉がそっくりそのまま、相手に残っていたのです。

相手の口から自分の言葉が出てきた時には、正直びっくりしました。

また、こんなこともありました。

実際にプレゼンの場で契約が取れずに、悔しくて、がっかりしながら帰ろうとした時のことでした。

ふと思い立ち、私は、思い残すことのないように、最後のひと言までをも思いをこめて、お話しすることにしました。

「今回、○○さんはご決断はされませんでしたけど、それがご自身のご判断なんですから、しかたないですね。

ただし、1つ覚えておいてください。

いいなぁ、と思いながら、もしやらなかったとしたら、どんなことになると思いますか？

親自身の手で、子供の成長の芽を摘んでしまうことになるんですよ。

そんな親にだけは、なりたくないですよね」

すると、2日たってお客様から電話がかかってきました。そして、驚いたことにお客様の口から、その私の最後の言葉がそっくりそのまま出てきたのです。

「吉野さん、やっぱり今回お願いしようと思います。だって、もし、いいなぁ、と思って、やらなかったとしたら、親自身の手で子供の成長の芽を摘んでしまうことになるんですよね。そんな親にだけは、なりたくないですから」と。

正直怖くなりました。

「漬物石トーク」、今すぐ準備してください！

レッスン☞ たとえアポが取れなくても、最後に必ず、一番言いたいことを言って切る！

スキル5 「みんな○○していますよ」の魔法

人が何かの決断をくだす時に、たくさんの情報をもち、それらを客観的、長期的視点で考え、決めているか、と言えば、そうではありません。

人はみな、一瞬、一瞬、自分の行動を選択して生きています。

1日の中で、下さなければならない行動の決定、というものは、無限に近いほどあるのです。ですから、つい、簡便（簡単で便利）な決定の仕方をするようになっているのです。

その一番多くの決定基準になっているのが、これです。

「多くの人がやっていることは、きっと正しい、間違ってない」という考え方です。

これを心理学の用語では、「社会性の証明」と言います。

実際に、これを決断の基準にして、うまくいく経験も私たちはたくさんしています。

たとえば、たくさんの人が見ている人気のある番組だと面白いだろう、と思って、その番組を見たりしますよね。で、やっぱり面白い、わけです。

ある意味、何かの決定を下す時に有効な手段です。

企業もこの人間心理をよく知っていて、「化粧品の○○ランキングで1位になりました！」というような文言を広告に入れたりします。

すると、やはりそれだけ多くの人が買っているんだったら良いものに違いない、と人が判断し、ますます人気が出る、といった具合です。

さて、アポ取りやクロージングの場で、お客様が混乱して出てこれなくなった時に、この方法でひと押ししてあげると非常に有効です。

判断の基準が不明確になり、判断しかねているのですから。

「まだ教材の説明を受けるのは、早いと思うんですけど……」

そんなことを妊婦さんがおっしゃったとします。

「お子さんが生まれてからでは、忙しくてそれどころではないので、**みなさん、**妊娠中に説明を聞かれて**ますよ**」と申し上げるのです。

すると、**「みんな○○している」**という魔法につつまれて、「じゃぁ、私も……」ということになるのです。

「みんなが○○している」という言葉以外にも、この「社会性の証明」を伝える方法はあります。

物事にはなんでも賛否両論があるので、ズバリそれを言ってしまうと角が立つ、という場合だってありますよね。

そこで、いつも私は、強い発言、強い提案であればあるほど、こう言ってきました。

「○○だ、って言う人が多いんです」

たとえば、「英語を始めるのは、早いほうがいいですよ！」という言い方だって、人によってはカチンとくるんです。また、押しつけがましく聞こえたりします。

「それがすべてではないでしょう⁉　いろんな考え方がありますから！」なんて反論も誘発します。で、私はこう話していたわけです。

「英語を始めるのは、早いほうがいい、って言う方が多いんですよ」と。

「○○って言う方が多い」

この言い方に反論できる人はまずいません。

しかも、そういう発言の人が多い、と自然に社会性の証明を伝えることができるのです。

言いにくいことを言う時ほど、強い発言をしなければならない時ほど、この言い方！

覚えておいてくださいね。

さらに、人が「社会性の証明」を判断の基準にしていることを理解し、良い仕事をするためには、**使っている人の感想**、そして、**顔写真などをお見せする**のも効果的ですね。

そして、それは**できる限りたくさんあることと、いろんな人が登場することが望ましい**のです。

一部の人の集まりではなく、社会全体が認めている、そういった印象を与えることができるからです。

が、しかし、それほどまでに多くの賛同を得られる自分になる、ということが、まず先決ですね！　賛同を得たものを公表することにより、より信頼を得て、選んでいただける自分になれる、というわけです。

レッスン

「○○な人が多い！」この言葉が効く

4章

まさかのお客様に買わせてしまおう！

そろそろ、あなたの中で、営業のヒント、コツが見えてきたのではないでしょうか。

本章では、実際にあった話をしたいと思います。

本当に得たい未来が定まり、気持ちがそこに向くことで、相当困難な状況であっても、人は自ら動いてお金の壁を乗り越え、自分が欲しいものを手に入れるのだ、ということを私に教えてくれた出来事です。

未来を買う法則

私がセールスマネジャーとして、徐々に売上を伸ばしている頃のことでした。

さらに、自分の組織の売上の技術を磨くために、セミナーを受けたり、本を読んだりしていました。

また、そのような場に出ると、私がいかにして営業を育成し、営業組織を拡大してきたのか、コンサルタントの先生方の注目の的となり、逆に研究材料にされたものでした。

ある先生はこう言いました。

「その教材を売るにはさぁ、やっぱり、楽しい！　ってことを強調することなんでしょ」

私は黙ってしまいました。そして、心の中で、こう叫んだのです。

「楽しい、かわいい、面白そう……そんな単純な感情で買うのは、せいぜい3000円から5000円の商品！　私たちがやってくることは、ちょっと楽しいことを強調したら売れる、そんな簡単なものではないのっ」

そうです。数十万円のものを売るには、そんな心の動きでは足りないのです。

じゃぁ、人は何を感じたら、感情が動いて、欲しくなって、お金を出すのでしょうか？

まったく買いそうには見えなかったお客様……、最初会った時は本当に買う気がなかった人が、突然気持ちが変わって、買った例……そんな、いくつかのエピソードが頭をよぎったのでした。

あの人たちは、なぜ買ったんだろう……そんな素朴な疑問をつきつめていくうちに、それが、人がモノを買う心理を知る、ヒントだったのです。

人は、こうすれば欲しくなる！ こういう心理でモノを買う！ ということを、それに気づかされたエピソードとともにお話ししていきたいと思います。

まさかのお客様が買った！

ケース1 「お金がないから買えない」は、ウソ！

「さぁ、今日もお客様のところに行って、2件目のプレゼンをしよう！」と、元気に車のエンジンをかけた私のところに、一本の電話がかかってきました。

「吉野さんですか？ ……おわかりでしょうか？ 私、1ヶ月前に来てもらって、吉野さんから説明を受けた市川のAです。覚えていらっしゃいますか？」

そう言われても、毎日2件、月にすると最低30件はプレゼンをする私に、1ヶ月前に会ったお客様を思い出すのは結構困難な作業でした。

「ご連絡ありがとうございます! え〜っと、Aさんは……」

「はい、1ヶ月前に、吉野さんに来てもらって、その時は高くて買えない、ってお断りしたAです」

「あ〜、お久しぶりです、Aさん。お元気ですか?」

「はい、やっぱり、教材をお願いしようと思って……! やっと、買える状態になったのでお電話したんですよ!」

すごく明るく、澄んだ声で、Aさんは息せききって、おっしゃいました。

私の記憶がやっと当時にたどりつきました。

Aさんとは、確かに1ヶ月ちょっと前に私がプレゼンに行ったお客様でした。

正直言って、ご契約されるにはかなり無理な状況だと感じたので、さすがの私もあきらめて、その方のことはすでに記憶から削除していたのでした。

まもなく、家を購入予定。

わずかなお金も貯金に回している。

お子さんが体が弱く、昼間もパートに出られる状態ではない。

それなのに、ご主人は最近、残業代がカットになり……そんな話を聞くと、経済的な側面からうかがうだけで、こちらも腰が引けてしまうような状況でした。

また、ご主人も、このような英語教材にはまったくご理解がないとのこと。

案の定、私は、「高くて買えない」「主人に相談しないと」というお客様の言葉を数回耳にし、その家を後にしたことを思い出しました。

そのAさんが、数十万円する英語教材を「購入したい！」とは、いったい何があったのでしょうか？

「ありがとうございます！　良いご決断をされてよかったです。せっかくなので、今日の夕方にはおうかがいしますね！」

そう言って、私は不思議な気持ちで電話を切りました。

訪ねた私に熱いお茶をいれながら、Aさんは、

「こんなこと生まれて初めてです！」

と言いながら、ここ1ヶ月間のストーリーを興奮した口調で聞かせてくれました。

私から、お子さんのための英語教材の説明を受けたAさんは、その日の夜にすぐ、ご主人にご相談されたそうです。

で、想像通り、ご主人は大反対。

「そんなものいらないよ！　なんでこんな値段するんだ！　絶対に必要ない！」の一点張りで、まったく聞く耳をもってくださらなかったそうです。

Aさんは、自分で自分がとても情けなくなったそうです。

なぜなら、どうしても子供にはキレイな発音で英語を話せるようにしてあげたい、というのが、Aさんの学生時代からの夢だったからです。

私の話を思い出し、いてもたってもいられなくなったのです。

「日本人だったら、100人が100人とも、耳さえ聞こえれば、誰でも日本語が自然に話せるようになりますよね。それと同じように、英語も今から毎日耳に入れてあげれば、自然にヒアリングと発音が身につきますよ！　まずはインプット、インプット、英語を聞かせてあげることからです。これはまるで、家にいながら、アメリカの幼稚園に行っているような体験ができるセットなんです！」

そんな素敵な体験を、なんとしても子供にさせてあげたい！　と強く、強く、思ったそうです。

その瞬間、お金のことが問題で、子供に思うような環境や教育を与えてあげられない自分が心底情けなくなり、泣けてきたそうです。

で、Aさんはどうしたか。

1歳の子供をかかえた自分にもできる、なんとか月に数万円のお金を稼ぐ方法はないものか？　と、探し始めたそうです。

いろいろ検討した結果、それはなんと、新聞配達をすること、という結論を出されたのでした。昼間は子供の面倒を見て、夜は早く寝て、夜中から未明までにできる健全な仕事……それこそが新聞配達だ！　と。

「え～、新聞配達ですかぁ？　お子さん小さいのに、体こわさないでくださいよ！　朝早いんでしょ！　4時頃に起きるんですか？」

大慌てで聞き返す私に、Aさんは笑って言いました。

「4時なんて、とんでもない！　2時ですよ、2時！　それから新聞屋さんに行って、チラシを入れて……6時までには配り終えるんです」

なんだか、余裕で、自信に満ちたお顔でした。

「新聞配達をしてでも、私たちの教材をお始めになる、というご決心をされたのですか……本当にありがとうございます。その収入でですか？」と聞く私に、Aさんの話は続きました。

「で、眠いし、疲れるけど、とにかく1ヶ月間、毎朝、毎朝、続けました。だって、子供の将来のためですから。そしたら主人が、とうとう言ったんです。もうやめてくれ！って。新聞配達するほど、あの教材が欲しいんだったら、俺が買ってやる！って、貯金をおろして買ってくれることになったんです！」と教えてくれました。

その笑顔は、母の貫禄で輝いていました。

Aさんは、自ら考え、行動し、そして、ご主人を動かし、自分がどうしても手に入れたいモノを手に入れた、そんな喜びで満ち満ちて、すっきりした表情をされていました。

それは初めて私がおうかがいした日の、あのさみしそうな自信なさそうな主婦のそれとは大違いでした。

私のプレゼンによって、Aさんが真剣に欲しいと思ってくださった。

そして、困難な状況下でも、可能な限りのアイデアを出し、手段を尽くし、自ら行動された。そして、とうとう欲しいものを手に入れることができたのです。

Aさんの未来をよりよい方向にお導きするためのお手伝いできた、という嬉しい気持ちで、私も自然と顔がほころんできました。

この出来事で、私は気づいたのです。

人は、本当に欲しい！　と思ったら、どうにでもするのだ、ということに。

たとえ、それが深刻な経済的問題に対してであっても、アイデアをしぼり、なんとかして工夫をし、本当に欲しい、買おう！　と思ったら、人はそれを手に入れるための行動に出るのだ、ということを学んだのでした。

思い起こせば、私自身もまた、自ら動き、欲しいものを手にした人でした。

マンションを購入し、貯金を使い果たし、仕事をやめて家庭に入り、子供を産み、無収入の状態だった私。

でも、「なんとかなる！」と、50万円の教材の購入を決心し、そのあとは通信教育の添削などをコツコツやりながら、月々の支払い金額約５０００円を作っていったのでした。

男性だって、そうです。

どうしても欲しい車を手に入れるために、会社が終わってから深夜までお店の厨房でアルバイトを続けた人を知っています。誰が強制したわけでもなく、彼自身がそれを選び、行動したのでした。

また、スーパーのチラシを手に、自転車に乗って遠くまで買い物に行って１００円貯金をしながら、嬉々として子供のお稽古事の資金を作っている主婦もいます。

逆に、一部上場企業にお勤めのご主人をもつ奥様で、ご実家が建ててくださった家に住み、何不自由ない暮らしをしながらも、さんざん「欲しい！」と言ったあげく、「本当にそれが必要かどうか、よくよく検討してみる」と言ったきり、検討の迷宮に迷い込んだまま、出てこられなくなったという方もいらっしゃいます。

よく私たち営業は、「お金がないから買えない」という言葉を言われることがあります。

まさに断り文句の王道です。

でも、それは真実ではない、ということがわかってきました。

お金を出してまで買う価値を感じない、お金と引き換えにしてまで欲しいとは思っていない、という言葉の裏返しだったのです。

つまり、**欲しがりようが足りない**のです。

私たちの側から言えば、欲しがらせることが足りなかった、のです。

私たち営業のお役目は、本心から欲しい！　と思っていただく、という部分なのだ、と知ったのでした。

心底欲しいと思ったお客様は、自ら動き、自分でお金の壁を越えるのです。

ケース2　見かけでは判断できない

「うち、かなりわかりにくい場所にあるから……」

そう言うお客様の言葉をさえぎって、

「大丈夫ですよっ！　そちらの地区、いつも行っていますから。保健所の裏。踏み切りを渡ったあたりですね」

そう場所を確認したはずだったのに、実際私が到着したのは、約束の時間を大幅に1時間半もオーバーした3時でした。

途中、何度も携帯で確認したのに、なかなか見つけられず、最後に到着したのは、遠目には一見、廃屋か……と思われるような古びた建物でした。

まさか……これが人の家だったとは……。

私はそんな言葉を飲み込み、チャイムもないので、ドンドンッ！　と、トタン板でできた扉をたたきました。

中からは、髪を明るい色に染めた、若い女性が出てきました。

「ごめんなさい！　お待たせしてしまって。また、途中、何度も電話で失礼いたしました」

謝る私にいやな顔もせず、「ど～ぞ、ど～ぞ」と、女性は気さくに私を部屋に通してくれました。服装は、Tシャツにショートパンツでした。

部屋では生後2ヶ月の女の子が眠っていました。

「かわいいですねぇ～」

「そうですね……。私、両親とも死に分かれて、身寄りがないんです。夫とこの子だけが、私の家族なんです」

たんすの上を見ると、2人だけで挙げたらしい結婚式の写真が飾ってありました。

「そうだったんですかぁ。でも、こんなに元気でかわいいお子さんと、やさしそうなご主人に恵まれるなんて、最高じゃないですかっ！」

「えぇ。私も主人も、子供の頃の環境は自分でも好きじゃなかったから、この子にだけは、楽しくて、素敵な家庭を与えてあげたい、って考えているんです」

教材を説明しようとする私の口をさえぎり、B子さんは堰を切ったように話し始めました。若い頃親不孝な自分だったこと、駆け落ち同然に家を出て結婚したこと。その後、自分も生死をさまようほどの病気を経験したこと。そんな過去を経て、今があること……。

話が一巡した頃を見計らって、ようやく私は商品説明に入りました。

彼女はあまり身を入れて聞いているわけではありませんでした。何か遠いところを見るような目で、下を向いたまま私のめくるバインダーをながめていました。

正直、その家の環境や、廃屋のような家屋から想像できる経済的状況から判断して、これはちょっと難しい……と思い始めていた時のことでした。

難しいかも……そう思うと、つい、プレゼンも手抜きしたくなったりします。

「もし、いいなぁ、と思わなければ、遠慮なく断ってくださいね」

私は、そんなテストクローズを言ってみました。すると、B子さんは明確に、「いいと思ってるよ」と言ったのです。

人を見かけで判断したことを少し恥じ、私は、心を入れ替え、あらためてクロージングを続けました。

「あなた自身が、親から、もっとこうしてほしかった、あんなことしてもらいたかった、とか、もっとこういう環境を与えてもらいたかった、というのはないですか？

もし、あっても、自分の時間を巻き戻して、自分の環境を整えることはできません。自分にとって、もっとこうしてほしかった、ってことは、ぜひ、お子さんへの環境作りでお返ししてあげませんか？

言ってみれば、私たちの人生はある程度、軌道に乗り、見えてきています。でも、お子さんは違います！　お子さんの人生の可能性は無限です。

そのお子さんの人生に、英語力っていう生きる力、能力を与えてあげましょうよ！

今から始めれば、小学校に行く頃には、すでに英語が自然と口をついて出てくるようになっていますよ。

子供にとって、得意科目があるっていうのはものすごい自信ですよ。英語だったら、どんな分野でも重宝だから、なおさら自信がついて、学校生活が楽しくなります！」

私はありったけ、英語が話せた場合のお子さんの将来について、B子さんの頭に絵を描くように、具体的にお話ししていました。

いつしか、B子さんの顔はほてり、口紅もはげ、真剣なまなざしで価格表を手に取っていました。

「私はこれ、欲しいと思う！　50万円だけど、その価値あると思うの。もうすぐ主人が帰ってくるから、相談していいかなぁ」

「もちろんです。ご主人には私が実物をお見せしながら、お話しさせていただきましょうか」

すでに、時計は5時をまわっていました。

「笑わないでね。主人、ジミー大西さんにそっくりなの……トラックの運転手をしてるんだぁ」

まもなく帰ってきたご主人を見て、私は本当に、「そっくりさん！」という声を飲み込みました。

一生懸命教材説明をする私を、ご主人は不思議なものでも見るような目つきで眺めていたかと思うと、突然さえぎって質問してきました。

「で……これ、いくらするの？」

「金額は、月々だと××円。全部でこちらの価格になります」（約50万円を指さす……）

「……」

黙ってしまうご主人。

さて、どう切りだそうか、と私が悩んでいると、

「私はね……私はこれ、欲しいと思ってるの！　ねぇ、これくらいの金額だったら、毎月私やりくりできるから。ねぇ、買ってもいいでしょ！」

結構な迫力で、Bさんがわり込んできました。

こわもてのご主人の顔が一瞬ひきつったので、私は怒られたらどうしよう、と思い、ちぢこまりそうになりました。

その時、ご主人が急に口を開き、こう言ったのでした。

「本当に欲しいと思ってるのか？　おまえが本当に欲しいのなら、俺は何も言わんよ。そのかわり、やるんだったら一括にしろ！」

そう言い放って、冷蔵庫のほうに行ってしまいました。

彼女と私は、顔を見合わせてにっこりし、よかったね、と目で合図をして、心の中で手と手を取り合ったのでした。

冷蔵庫から飲み物を取って戻ってきたご主人は、こうおっしゃいました。

「俺たちはね、こんな暮らしはしているけれども、子供にだけはできる限りのことをしてやりたい、と思ってるんだよ。出産祝いにもらったわずかなお金から、100円玉の貯金箱のお金まで、何から何まで全部貯金してるんですよ。吉野さんに見せてあげたいくらいだ。本当に子供に何かしてやりたい、と思った時に、してやれないことのないように、と思ってね……。まぁ、今回、これを買ったんで、貯金はまた一からやりなおしだけれどね！アッ、ハッ、ハッ！」

ジミー大西似のご主人は、豪快に笑っていらっしゃいました。

自分の過去にくやしい思い、コンプレックスがある人ほど、子供の未来に期待するんだな、ということを感じながら、私はその家を後にしました。

これをハングリー精神と言うのでしょうか。

恵まれた人であれば、すでに当たり前になってしまっている些細なことにも心が動き、自分と子供の人生を、自ら少しでもよくしたい、と心から願うその姿に私は感動しました。

お客様は、商品を購入することで何を手にしたい、と思っているのでしょうか？

商品とは、究極、機械によって作られた紙とプラスチックでしかありません。

でも、お客様が買うのは、それが自分の人生にもたらす、今までとは全然違った未来……。それを得たくて、真剣な面持ちでご決断なさるのだな、と感じたのでした。

ケース3　周囲の人が大反対！

経済的な問題以外にも、困難の壁はそそりたちます。

「陣中に敵あり」とは言いますが、営業の現場においては、身近な人の反対、社内の反対、というのは、あなどれない大きな壁でしょう。そのためには、最初からディシジョンメーカー（意思決定権者）に会っていく、ということが大事です。

が、たとえそうであっても、身内がみんな味方をしてくれるとも限りません。また、営業の私たちが、1つ1つ、そういった外堀を埋めていくにも限界があります。

やはり、こういった契約への障害となるものは、**お客様ご自身が動いてくださることにより乗り越えていただくのが一番**なのです。

以前、こんなことがありました。

ママとパパ、2人でいっしょに話を聞く、というアポでした。

うかがってみると、大きな表札の出た一戸建てのお宅。

ひと目で、ご主人のご実家にお住まいとわかりました。

最初に出てこられたのが、ご主人のお母様。ママにとってのお姑さんです。

じろりと私を一瞥してから、「2階にどうぞ」とあげられました。

一瞬にして、手ごわそうな雰囲気が流れました。

「せっかくなので、お母様もぜひごいっしょにお話を聞いてください！」

一見、難しそうに見える方ほど、一度味方になっていただいた場合は、大きい。そのためにも、そういう方には、私は自分から話しかけることにしています。

でも、そんな私の申し出を断り、少しムッとした顔でお姑さんは、

「何分くらいかかるの？　今、お茶もってきますから」

と、わずらわしそうに言って立ち去りました。

私は一生懸命プレゼンをしました。

お2人は、顔も上げずに、私の目を見ることもなく、始終黙って聞いていらっしゃいました。やはり、欲しいお気持ちはあるのか、時々、顔を見合わせながら、指さしていらっしゃいました。

さぁ、これからクロージングを！　と思った時に、お姑さんがお茶をもってきました。

「あなたたち、そろそろにして！　もうこんなに時間がたっているじゃない。あなた、あ

とどれくらいかかるの？」

「あっ、失礼いたしました。では、あと5分だけお話がありますので、それを話して帰ります」

こういう状況はめずらしくないので、私は落ち着いて対処しました。

残りの5分で、お2人の心に、しっかり刻み込めることをお伝えして帰ろう。

私はあらためて、この教材をやった場合、お子様に繰り広げられるすばらしい未来をお話ししました。

しかし、それだけではありませんでした。

（この人たちの心を動かすには、素敵な未来だけではダメ。検討ばかりして、結局やらなかった人の話もしておかなくっちゃ！）

そう思った私は、購入しなかった場合の地獄も具体的にお話しすることにしました。

「このようにして、せっかく私の話を聞いてくださったとしても、方法は2つですね。やるか、やらないか、2つに1つです。その中間はありません。よく、検討するって言いながら、時間ばかりを経過させ、結局スタートすることができなかったという方を、私はたくさん知っています。実際、そのような方がどうなったか、お話ししましょう。

こんな方がいらっしゃいました。

この教材はお断りになりましたけれども、英語をさせたい、っていうお気持ちは心の中にしっかりあったんですね。で、お子さんが幼稚園に行った時、周りの子供も、パ～ッと英語教室とかに行き始めるんです。それを見て、やっぱり、と思って英語教室に通われました。

また、小学校に行くと、実際、今は公立でも英語の授業が始まっています。後れを取ってはいけないと思い、高い月謝を払って、結局英語を習いに塾にも行かれました。

なかには、中学校に行くまで、英語を始めない方もいらっしゃいます。でも、もうそうなると、たいへんですね。最近では、幼少期から英語をやってきたお子さんが多いですから、その人たちに混じって英語を勉強しなければなりません。

後れを取れば致命的になりますから、さらに、高いお月謝を払って塾に行って、外国人教師をつけたり、60万円出して、夏休みのミニ留学に行かせたりされるんです。

これらの話から何がわかりますか? 結局、小さい頃にやらなかった人っていうのは、あとでもっと大きなお金を出して、結局英語をやらなければならなくなる、ということなんです。

でも、何百万というお金を出しても、今の小さい時期にスタートするほどの効果っていうのは、残念ながら保証できないんですよ。

小さいお金で今スタートし、確実な成果を得るのと、今やらないで、あとになってから、もっと大きなお金を出して英語をやって、苦労して少し身につけるのと、どちらがいいですか?

この2つを天秤にかけて、よ〜〜く考えてみてください」

5分という限られた時間の中で、私はやらなかった場合のつらい将来について、具体的にお話ししたのが特徴でした。そして、最後の判断、選択は、お客様におまかせした、というわけです。


結果、どうなったか。

2日後に、ママからこっそり電話がかかってきました。

こっそり、であることは口調からすぐにわかりました。

「今、家の外から電話しているんです。家ではお姑さんの目があって電話しにくいんで……。あの教材、やっぱりお願いします。あとになってから、もっと大きなお金を払って、身につかないのは、もったいないですから。

私のOLの頃の貯金を頭金に入れて、残りは月々で払います。頭金の振り込み口座を教えてください。今すぐ振り込みますから。

それから、教材のほうは、私の実家に送ってください。今の家に送ると、周囲の人の反対で、たいへんなことになりますから」

欲しがらせることが使命

お金のことや、もしくは周囲の人の反対にお客様がこだわっていらっしゃる場合は、私たちの仕事やプレゼンにまだまだ落ち度があるため、お客様を本心から欲しい気持ちにさせられていない、ということです。

ケース1のAさんの例でわかったことは、本当に欲しい！　なんとかして手に入れたい！　と思えば、人はなんとか頭をひねり、どうにかして手に入れるための手段を自分で考えるものなのです。

私たち営業の職務、使命とは、もっともっと欲しがっていただくことだ、と悟ったのでした。**欲しがっていただくところまでをお導きすれば、そのあとは、必ずお客様ご自身が行動してくださいます。**

手に入れるための一番よい方法を知っているのは、お客様本人です。

手に入れようとさえ思ったら、方法はいくらでもあります。

自分の内緒の貯金を出してきて、足りない分はローンで埋めることもできるでしょう。

また、実家の親の援助を受け、「出世払いね〜」なんて人も多いですよね。

そして、もちろん、無理のない金額の月々払いにして、「使ってる間じゅう払いましょう！」「払ってる間じゅう使いましょう！」ってこともできるはずです。

その方法を使うも使わないも、お客様次第。

とことん欲しくなり、感情が動き、決心した時に、それは自ら選択されることなのです。

私たちの提供するすばらしい商品を、お客様にもっと欲しがっていただくためには何ができるのか？　何をお話しすればいいのか？

とにかく、お客様にもっと欲しがっていただく、ということに関して、私はずっと研究してきました。

買う人と買わない人の違い

買う人と買わない人の違い、契約する人としない人の違い、売れるプレゼン売れないプレゼンの違い、それはいったい何なのでしょうか？

どうやらそれは、お客様の環境や状況によるものではない、ということです。

お客様の感情が動いたか、動いていないか、です。

しかも、お客様ご自身が、自ら行動に出よう！　と思うくらい、強く感情が動いたかどうか、です。

感情が動く、と書いて、感動です。

つまりは、私たち営業の側が、お客様の心を心底揺さぶる、感動を呼びさますようなプレゼンができたかどうか、ということなのです。

では、感情を動かす、感動を作るとはどういうことでしょうか？

お客様をいてもたってもいられなくして、契約、購入という行動に駆り立てるプレゼンとは、お客様の得たい未来に焦点を当て、それを手に入れることができるようにお手伝いする、というプレゼンなんです。

すばらしい未来像を語ること＝クロージング

話を元に戻しましょう。

あの、「ないものを売る」話にです。

まだ存在しない商品を、電話だけで売って、成功した話に。

そんなことができた理由が見えてきました。

今までの部分で、もうお気づきになったと思いますが、人にモノを勧める場合に語るべきは、その商品のもたらす、すばらしい未来像でした。

未来像を語る、ということは、「会わないとできない」ことでしょうか？

違いますね！

会わなくても、文字だけでも、電話でのお話であっても、できることだったのです！

商品を見せる、ということは会わないとできないことです。

でも、その商品のもたらす未来像は、電話でもお話しできることなのです。

【参考文献】

『グラッサー博士の選択理論』　W・グラッサー著　柿谷正期訳（アチーブメント出版）

『影響力の武器』　ロバート・B・チャルディーニ著　社会行動研究会訳（誠信書房）

[著者]
吉野　真由美（よしの・まゆみ）

同志社大学経済学部卒業。大学時代は、応援団チアリーダー部に所属。応援団副団長。その後、生命保険、コンピューターの営業を経て、1994年、世界最大手の幼児英語教材会社に入社。

入社3ヶ月でトップセールスとなり、産休復帰しながらも、セールスコンテストにおいて、1200名のセールス中、全回上位入賞を果たす。1997年、セールスマネジャーに昇進。その後、5年間で業績を20倍に拡大する。

2000年、テレフォン・アポイント会社、マーケティング・サポートを設立。

2002年、幼児英語教材会社にて、営業部門の最高タイトルである、リージョナル・マネジャーに昇進。営業組織の全国展開を果たし、2004年度には、営業組織の売上を年商20億に。最年少で、リージョナル・ディレクターに昇進。

2005年、日本プロスピーカー協会主催、プロスピーカー試験に、過去最高得点で合格（2006年8月現在）。

2005年10月、幼児英語教材会社を退き、営業組織の売上増大と業績向上を支援するコンサルティング会社、マーケティング・サポート・コンサルティング株式会社を設立、代表取締役社長に就任。プレゼンテーションや、電話によるアポイント獲得、モチベーションアップなどのセールス研修、マナー研修、コーチングやプロセス・マネジメントを取り入れたセールスマネジャー研修において、高い評価と信頼を得る。


著書『営業組織をゼロから最速で20億にする法』がベストセラーに。

ブログで連載中の「真由美の営業パワーアップ塾、励まし系!」が人気blogランキングの保険部門で1位を獲得

「日本プロスピーカー協会」所属　認定プロスピーカー
「アチーブメント株式会社」講師　日本選択理論心理学会会員
ドクター佐藤富雄の「口ぐせ理論実践塾」認定講師

【マーケティング・サポート・コンサルティング株式会社 事業内容】
・営業研修、講演、営業組織の採用から育成までのコンサルティング
・テレマーケティング業務（法人、開業医へのアポ取り代行、教育関係、スカウトのアウトバウンド）
・「営業の通信教育」「営業の個人授業」

http://www.ms-consulting.jp/
〒107-0061 東京都港区北青山3-6-7　青山パラシオタワー11階

【講演会・研修テーマ集】
「即効YESがとれるプレゼンテーション」～クロージング・スキル～
「スーパーアポ取り術」～あなたもアポ取りの達人になれる！～
「業績を劇的にアップするビジネスマナー」～上質な信頼関係を築く営業のマナー
「営業で結果を出す人の話し方はここが違う!」
～お客様を虜にするコミュニケーションテクニック～
「部下の能力を100%引き出すコミュニケーション」～職場のコーチング～
「同じ人材で、2倍の成果を出すマネジメント」～プロセス・マネジメント～

商品がなくても売れる魔法のセールストーク
——電話を絶対切らせないスーパーアポ取り術

2006年10月5日　第1刷発行

著　者——吉野真由美
発行所——ダイヤモンド社
〒150-8409　東京都渋谷区神宮前 6-12-17
http://www.diamond.co.jp/
電話／03･5778･7236（編集）03･5778･7240（販売）
装丁————清水良洋（Malpu Design）
写真————倉光潔
製作進行——ダイヤモンド・グラフィック社
DTP　———伏田光宏（F's factory）
印刷————八光印刷（本文）・加藤文明社（カバー）
製本————川島製本所
編集担当——酒巻良江

ISBN 4-478-54078-0